朝鮮銅活字（乙亥字）本《靈樞》

主　編◎錢超塵
副主編◎王育林　劉　陽

《黃帝内經》版本通鑒
第二輯

北京科学技术出版社

圖書在版編目（CIP）數據

朝鮮銅活字（乙亥字）本《靈樞》/ 錢超塵主編
. — 北京：北京科學技術出版社, 2022.1
（《黄帝内經》版本通鑒；第二輯）
ISBN 978 – 7 – 5714 – 1836 – 6

Ⅰ. ①朝… Ⅱ. ①錢… Ⅲ. ①《靈樞經》 Ⅳ.
①R221.2

中國版本圖書館 CIP 數據核字（2021）第188341號

策劃編輯：侍　偉　吴　丹
責任編輯：吴　丹
責任校對：賈　榮
責任印製：李　茗
出 版 人：曾慶宇
出版發行：北京科學技術出版社
社　　址：北京西直門南大街16號
郵政編碼：100035
電話傳真：0086–10–66135495（總編室）　0086–10–66113227（發行部）
網　　址：www.bkydw.cn
印　　刷：北京七彩京通數碼快印有限公司
開　　本：787 mm × 1092 mm　1/16
字　　數：323千字
印　　張：27
版　　次：2022年1月第1版
印　　次：2022年1月第1次印刷
ISBN 978 – 7 – 5714 – 1836 – 6

定　　價：**590.00元**

《〈黄帝内經〉版本通鑒·第二輯》編纂委員會

主　編　錢超塵

副主編　王育林　劉　陽

前言

中醫學是超越時代、跨越國度、具有永恒魅力的中華民族文化瑰寶，是富有當代價值、維護人體健康的生命科學，它將伴隨中華民族而永生。中醫學核心經典《黄帝内經》（包括《素問》和《靈樞》），奠定了中醫理論基礎，指導作用歷久彌新，是臨床家登堂入室的津梁，是理論家取之不盡的寶藏，是研究中國傳統文化必讀之書。

讀書貴得善本。章太炎先生鍼對中醫讀書不注重善本的問題，指出『近世治經籍者，皆以得真本爲亟，獨醫家爲藝事，學者往往不尋古始』，認爲這是不好的讀書習慣。他又説：『信乎，稽古之士，宜得善本而讀之也！』閲讀《黄帝内經》，必須對它的成書源流、歷史沿革、當代版本存佚狀況有明確的認識，纔能選擇佳善版本，獲取真知。

《黄帝内經》某些篇段成於战國時期，至西漢整理成文，《漢書·藝文志》載有『《黄帝内經》十八卷』。西晉皇甫謐《鍼灸甲乙經》類編其書，序云：『《黄帝内經》十八卷，今《鍼經》九卷，《素問》九卷，即《内經》也。』這説明《黄帝内經》一直分爲兩種相對獨立的書籍流傳，一種名《素問》，一種名《鍼經》。《鍼經》即《靈樞》的初名，在流傳過程中也稱《九卷》《九靈》《九墟》，東漢末期張仲景、魏太醫令王叔和均引用過《九卷》之名。

《素問》的版本傳承相對明晰。南朝梁全元起作《素問訓解》存亡繼絶，唐初楊上善類編《黄帝内經太素》取之。唐乾元三年（七六〇）朝廷詔令將《素問》作爲中醫考試教材。唐中期王冰以全元起本爲底本作注，收入『七篇大論』，改爲二十四卷八十一篇，爲《素問》的流行奠定了基礎。北宋天聖五年（一〇二七）、景祐二年（一〇三五），以全元起本爲底本的《素問》兩次雕版刊行。北宋嘉祐年間（一〇五六至一〇六三）校正醫書局林億、孫奇等以王冰注本爲底本，增校勘、訓詁、釋音，仍以二十四卷八十一篇刊行。此後《素問》單行本均以北宋嘉祐本爲原本，歷南宋（金）、元、明、清至今，形成多個版本系統。二十四卷本，以金刻本（存十三卷）、元讀書堂本、明顧從德覆宋本、明無名氏覆宋本、明周曰校本、明『醫統』本爲代表；十二卷本，以元古林書堂本、明熊宗立本、明趙府居敬堂本、明吴悌本爲代表；五十卷本，即『道藏』本；此外還有明清注家九卷本、日本刻九卷本等。南宋、北宋及更早之本俱已不存。

《靈樞》在魏晋以後至北宋初期的傳承情况，因史料有缺而相對隱晦。唐初楊上善類編《黄帝内經太素》收入《九卷》。唐中期王冰注《素問》引文，始有『靈樞經』之稱。因存本不全，北宋校正醫書局未校《靈樞》。遲至元祐七年（一〇九二），高麗進獻《黄帝鍼經》，始獲全帙，元祐八年（一〇九三）正月北宋政府頒行之。此後《靈樞》再次沉寂，至南宋紹興乙亥（一一五五），史崧刊出家藏《靈樞》，將原本九卷校正並增修音釋，勒成二十四卷。此本成爲此後所有傳本的祖本，流傳至今已形成多個版本系統。其中二十四卷本，以明無名氏仿宋本、明周曰校本爲代表；十二卷本，以元古林書堂本、明熊宗立本、明趙府居敬堂本、明田經本、明吴悌本、明吴勉學本爲代表；此外還有二十三卷本（即『道藏』本）、明詹林所二卷本、『道藏』收録的《靈樞略》一卷本、日本刻九卷本等。

除《素問》《靈樞》各有單行本之外，《黄帝内經》尚有類編本。西晋皇甫謐《鍼灸甲乙經》，將《素問》《九卷》《明堂孔穴鍼灸治要》三書類編，但編輯時『删其浮辭，除其重複』，故與《素問》《靈樞》對勘，《鍼灸甲乙經》文句每不全足。唐代楊上善《黄帝内經太素》三十卷，將《九卷》《素問》全文收入，不加删掇，詳加注釋。《黄帝内經太素》文獻價值巨大，但在南宋之後却沉寂無聞，直到清光緒中葉，學者楊守敬在日本發現仁和寺存有仁和三年（八八七，相當於唐光啓三年）舊鈔卷子本，存二十三卷，遂影寫携歸，一時轟動醫林。嗣後日本國内相繼再發現佚文二卷有奇，至此《黄帝内經太素》現存二十五卷，堪稱《黄帝内經》版本史上的奇迹。

綜觀《黄帝内經》版本歷史，可謂一縷不絶，沉浮聚散；視其存亡現狀，又可謂同源異派，星分飄零。現存《黄帝内經》善本分散保存在國内外諸多藏書機構，此前囿於信息交流、印刷技術，從未有大規模集中最優秀版本出版的先例。當今電子信息技術發展日新月異，互聯網的普及使信息交流具有前所未有的廣泛性、時效性，乘此東風，《黄帝内經》現存的諸多優秀版本得以鳩聚刊印，爲中醫從業者及愛好者和傳統文化學者集中學習、研究提供便利。『《黄帝内經》版本通鑒』叢書，首次對《黄帝内經》精善本進行大規模集中解題、影印，目的是保存經典、傳承文明、繼往開來，爲振興中醫奠基，爲中華文化復興增添一份力量。

繼二〇一九年『《黄帝内經》版本通鑒·第一輯』出版十二種優秀版本之後，『《黄帝内經》版本通鑒·第二輯』再次精選十三種經典版本，包括《素問》六種、《靈樞》六種、《太素》一種，列録如下。

(1)蕭延平校刻蘭陵堂本《太素》。

(2)元讀書堂本《素問》。

(3)明熊宗立本《靈樞》。

(4)朝鮮小字整板本《素問》。

(5)明吴悌本《靈樞》。

(6)楊守敬題記覆宋本《素問》。

(7)朝鮮銅活字(乙亥字)本《靈樞》。

(8)明趙府居敬堂本《靈樞》。

(9)明『醫統』本《素問》。

(10)明『醫統』本《靈樞》。

(11)明詹林所本《素問》。

(12)明詹林所本《靈樞》。

(13)明潘之恒《黄海》本《素問》。

這十三種經典版本的特點如下。

（1）蕭延平校刻蘭陵堂本《太素》，校印俱精，爲《太素》刊本中之精品。

（2）元讀書堂本《素問》，爲今僅存的宋元刊本三種之一，巾箱本，分二十四卷，與顧從德覆宋本一致，但附有《亡篇》，各篇文字内容、音釋拆附情况又與元古林書堂本高度近似。此本校刻精善，爲現存《素問》之佳槧，足以與元古林書堂本、顧從德本並美；若單論文字訛誤之少，猶過二本。

（3）朝鮮小字整板本《素問》，爲現存朝鮮本之較早者，其底本爲元古林書堂本。品相顯拙，但勝在校勘精審，仍具有較高的版本價值。

（4）楊守敬題記覆宋本《素問》、明潘之恒《黄海》本《素問》，均承自宋本，作二十四卷。前者當是以顧從德覆宋本改版（删去刻工）者，後者是以宋本校勘重刻者，品相良佳。

（5）本輯收入明代兩種《素問》《靈樞》合刻本，分别是吴勉學校刻『古今醫統正脉全書』本（簡稱『醫統』本）、閩書林詹林所本（簡稱詹本），二者各有特色。『醫統』本《素問》以顧從德本爲底本仿刻，《靈樞》以吴悌本爲底本重刻，校刻皆良。詹本《素問》以熊宗立本爲底本，删去宋臣注重刻；《靈樞》亦以熊宗立本爲底本，合併爲兩卷重刻。詹本品相不甚佳，訛舛不少，因刊刻年代尚早，今存完帙，在探索《黄帝内經》版本源流方面，仍具一定價值。

（6）本輯收入的《靈樞》均爲明代版本，屬古林書堂十二卷本系統，各具特色。其中，熊宗立本上承古林書堂本（仿刻，熊宗立句讀），下爲本輯明代諸本之祖。吴悌本（校審精，品相佳）、趙府居敬堂本(品相佳,後世通行)、詹林所本(合併爲二卷)皆直承熊宗立本;『醫統』本承吴悌本;朝鮮銅活字(乙亥字)本(朝鮮銅活字官刻,校審精,品相佳)承田經本(即山東布政使司本),田經本承熊宗立本。

『《黄帝内經》版本通鑒』卷帙浩大,爲出版這套叢書,北京科學技術出版社領導及各位編輯同仁以極高的使命感和責任心,付出了極大的心血和努力,剋服了諸多困難,終成其功,謹此致以崇高敬意。相信這套叢書必不辜負同仁之望,可在促進中醫藥事業發展、深化祖國傳統文化研究、增强國家文化軟實力等諸多方面做出應有的貢獻。

囿於執筆者眼界、學識,諸篇解題必有疏漏及訛誤之處,請方家、讀者不吝指正。

錢超塵

[説明:爲更準確地體現版本、訓詁學研究的學術内涵,撰寫時保留了部分異體字,所選擇字樣如下:欬(欬嗽)、並(並且)、併(合併)、嶽(山嶽)、鍼、於、異。]

目録

《黄帝内經》版本通鑒·第二輯

朝鮮銅活字（乙亥字）本《靈樞》

解題 劉陽

解　題

北宋嘉祐年間（一〇五六至一〇六三），校正醫書局校正諸種重要醫書，計劃中包括《靈樞經》，但終未實施，其原因可能是當時未得善本。《素問・調經論》『無中其大經，神氣乃平』注内《新校正》云：『《靈樞》今不全。』迄元祐七年（一〇九二），高麗進獻《黄帝鍼經》九卷、《九墟經》九卷，中國始復得全本。元祐八年（一〇九三）正月，詔頒高麗所獻《黄帝鍼經》於天下，這是後世流傳的《靈樞》所有版本的源頭，此本今已不存。南宋紹興年間，史崧參對諸書，校勘家藏舊本《靈樞》九卷，並增修音釋，改版爲二十四卷，呈獻南宋政府，經秘書省審核，於紹興二十五年（一一五五）由國子監刊行（下稱『紹興本』），此本今亦亡。今存《靈樞經》最早版本爲元代古林書堂本，刊行於元後至元六年（一三四〇），將紹興本合併爲十二卷，它幾乎成爲明代《靈樞經》所有版本的祖本。

然而，即使在相距不久的明代，元古林書堂本《靈樞》似也不多見。今所存明代所有《靈樞》刻本，以古林書堂本作底本者，祇有『正統道藏』本及熊宗立本可以確認。自成化年間熊宗立本出，此後刻本幾乎全部以之爲宗，而元刻踪迹如雪泥鴻爪，難覓其痕。

熊宗立本係仿元古林書堂本而刻，版式、行款、字體與之基本一致。熊宗立本所傳十二卷本體系，成爲明清以來《靈樞》版本主流，甚至影響海外。日本宫内廳書陵部存有《靈樞》朝鮮刊本一部（四三函一九號），三册，十二卷，其以田經本［約明嘉靖四年（1525）山東布政使司仿刻熊宗立本］爲底本，銅活字刊印，實屬熊本體系下較爲特殊的一個版本。

朝鮮銅活字（乙亥字）本《靈樞》，目録題『新刊黃帝内經靈樞集注』，次行署有『歷城縣儒學教諭田經校正』，反映其底本爲田經本，此外别無刊刻者信息。查三木榮《朝鮮醫書志》及《訂補朝鮮醫學史及疾病史》均載有此本，定爲乙亥活字本、中宗時（一五〇六至一五四四）刊本。崔秀漢《朝鮮醫籍通考》亦載之，但以爲是嘉靖、隆慶時（一五二二至一五七二）刊本。《韓國古活字印本書目》『乙亥字』條下所載『黃帝素問靈樞集注（覆刻）（一五〇六至一六〇八）』，亦當是此本（《靈樞》自第五卷起多卷題名如此。『覆刻』二字疑有誤）。根據白裕相的研究，《黃帝素問靈樞集注（覆刻）》應是在朝鮮明宗時期的一五五四至一五五七年之間，與乙亥字本《補注釋文黃帝内經素問》同期印成。此刊刻時間是白裕相根據《素問》書末所署校審諸臣名銜，對照史料中諸人職務履轉時間推斷而出，甚爲可信。

『日本所藏中文古籍數據庫』顯示：『《新刊黃帝内經靈樞集注》十二卷。朝鮮活字印本。前有紹興乙亥史崧序，首有「東井文庫」印。又每册首有「多紀氏藏書印」「躋壽殿書籍記」「醫學圖書」諸印記。宫内廳書陵部四三函一九號。』這表明本書在刊印後不久便流入日本，迭經日本名醫舊藏。『東井文庫』是日本十七世紀初名醫曲直瀨玄朔（號東井）的印記。『多紀氏藏書印』『躋壽殿書籍記』『醫學圖書』均爲丹波氏家族藏書印，蓋丹波元孝於一七四九年改家號爲『多紀』，又開創躋壽館講習漢方，其子丹波元德將館名改爲醫學館。

所謂『乙亥活字』，是指朝鮮李朝政府所鑄造的乙亥（一四五五）版金屬（銅）活字。李氏朝鮮（一三九二至一八九七）最先大量鑄造金屬活字印書，真正使活字印刷術發揚光大。從李太宗三年（一四〇三，明永樂元年）第一次大規模鑄造『癸未字』開始，李朝政府主持金屬活字（銅字爲主）鑄造達20次（至十六世紀末已達13次），極大地促進了朝鮮的文明進程。但在十六世紀末，銅活字出版的繁榮曾被戰亂打斷，大量珍寶、書籍及校書館所藏銅鑄字被掠去而散失殆盡。此後又歷多次劫難，朝鮮遍地瘡痍，經濟、文化在很長一段時間陷入低谷，至一六六八年政府纔又重新鑄造銅、鐵字，延續了金屬活字印刷的輝煌，但總體質量已不如戰亂前。

乙亥活字持續印書時間很長，接近一百四十年，這一部《新刊黃帝内經靈樞集注》是後期的印品。縱觀萬曆朝鮮戰爭之前所印醫經，《素問》有三次（甲寅字，乙亥字，甲辰字），《靈樞》僅一次（乙亥字），此當是由於《靈樞》刊本流傳較少，難以獲取。觀其底本爲相當晚近的嘉靖四年（1525）田經校刻本，而非元古林書堂本（同刊《素問》據此），亦非明朝國内流行的熊宗立本（田經本據此），可知其版本無可選擇的窘況。

朝鮮銅活字（乙亥字）本《靈樞》（以下簡稱朝本）版式，四周雙邊，半葉十行，行十八字，注文雙行小字同，黑口，對花魚尾，上魚尾下刻『靈樞』二字。版面疏朗，字大娟秀，爲仿姜希顔字體。此版版式並未據底本田經本仿刻，而實與同刊《新刊補注釋文黃帝内經素問》一致（惟書口黑白相异）。題名『新刊黃帝内經靈樞集注』（目録，卷一至四），或『黃帝素問靈樞集注』（卷五至十一），或『黃帝内經素問靈樞集注』（卷十二）。無校印責任人銜名，因同刻《素問》已署之故。

萬曆朝鮮戰爭之前，朝鮮銅活字印刷由專門的校書館負責，印書紙墨俱佳，版式大方，字體優美，且由於勘校嚴格，錯誤極少。《李朝實録・宣宗大王實録》卷七載：『録内書册印出時，監印官、監校官、唱準、守藏、均字匠，每一卷一字誤錯者，笞三十，每一字加一等，印出匠，每一卷一字，或濃墨，或熹微者，笞三十，每一字加一等，並計字數治罪。官員五字以上，罷□。唱準以下匠人，論罪後削仕五十云。』故朝鮮古銅活字所印書籍以精善著稱於世，此本《靈樞》亦不例外。對照田經本可以發現，全書幾無手民之誤，更將田經本原有訛誤改正不少，顯是知醫之人用心所校。如田經本目録『論病診尺第七十四』，朝本據正文標題改『病』爲『疾』；田經本『經脉第十』中『掌後脱骨』，『脱』改爲『鋭』，此類不勝枚舉。由於没有別本參校，全憑意斷，朝本也有將原本可存疑之處徑改者，如田經本『本神第八』中『經溲不利』，元古林書堂本、熊宗立本、『道藏』本、無名氏本並同，朝本獨改『經』爲『涇』；田經本『經脉第十』中『上氣喘渴』，元古林書堂本、熊宗立本、『道藏』本、無名氏本並同，朝本獨改『渴』爲『喝』。不過，此類『過改』之處極少，總體校審態度是相當嚴謹的。根據《素問》書末署名，主校官是宣教郎前惠民署主簿柳珉，朝奉大夫行典醫監主簿裴孝壽，保功將軍行司果典醫監兼教授裴珣；監校官是嘉義大夫行僉知中樞府事尹春年。此四人居功至偉。

總體來看，朝鮮銅活字（乙亥字）本《靈樞》印刷時代相當於明嘉靖後期，是現存少見的古銅活字《黃帝内經》版本，校印均善，在《靈樞》的衆多版本中屬於上品。

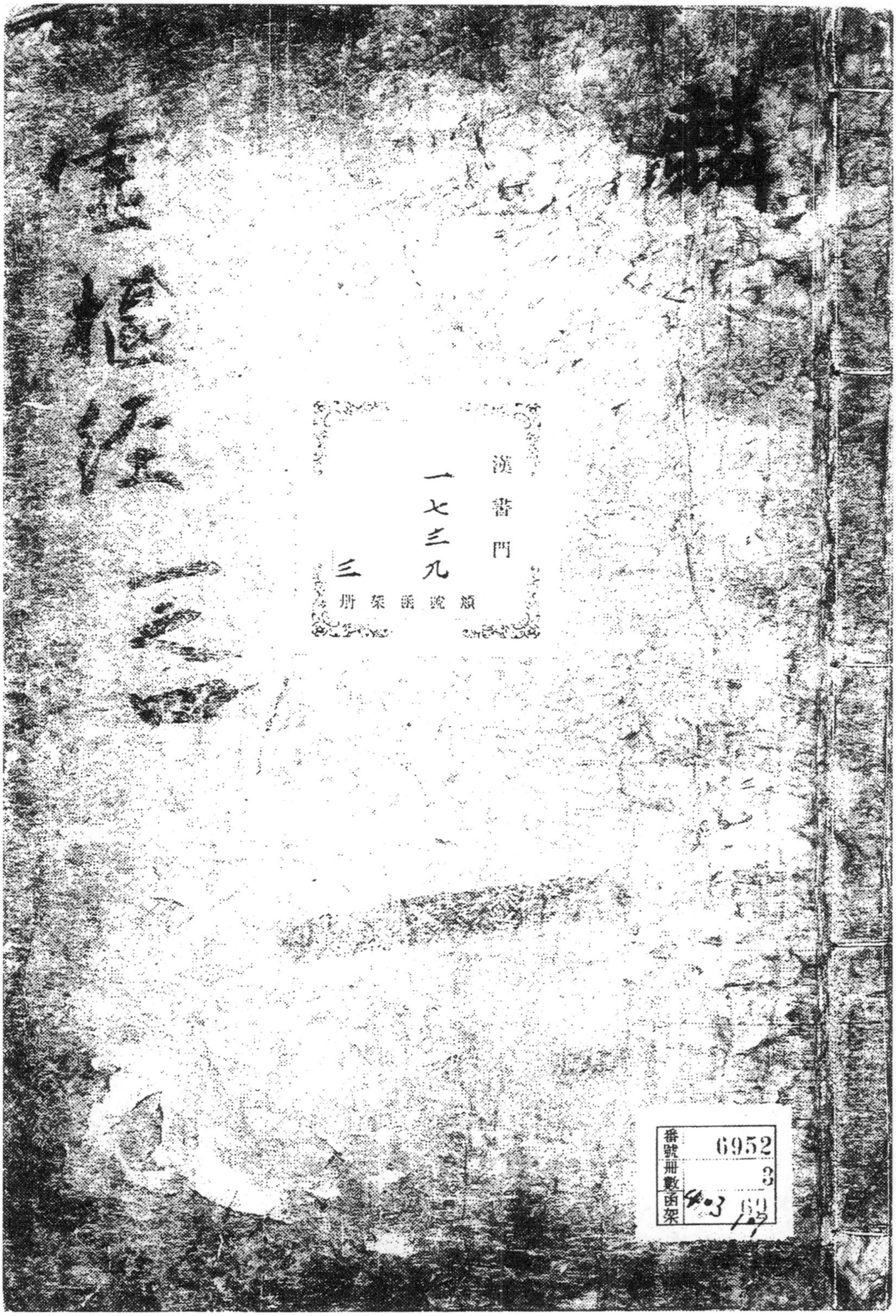
漢書門
一七三九
三
類號函架冊
番號 6952
冊數 3
函架

昔黃帝作內經十八卷靈樞九卷素問九卷迺
其數焉世所奉行唯素問耳越人得其一二而
述難經皇甫謐次而爲甲乙諸家之說悉自此
始其間或有得失未可爲後世法則謂如南陽
活人書稱欬逆者噦也謹按靈樞經曰新穀氣
入于胃與故寒氣相爭故曰噦舉而並之則理
可斷矣又如難經第六十五篇是越人標指靈
樞本輸之大略世或以爲流注謹按靈樞經曰
所言節者神氣之所遊行出入也非皮肉筋骨
也又曰神氣者正氣也神氣之所遊行出入者

流注也井滎輸經合者本輸也舉而并之則知
相去不啻天壤之異但恨靈樞不傳久矣世莫
能究夫爲醫者在讀醫書耳讀而不能爲醫者
有矣未有不讀而能爲醫者也不讀醫書又非
世業殺人尤毒於梃刃是故古人有言曰爲人
子而不讀醫書由爲不孝也僕本庸昧自髫迄
壯潛心斯道頗涉其理輒不自揣參對諸書再
行校正家藏舊本靈樞九卷共八十一篇增修
音釋附于卷末勒爲二十四卷庶使好生之人
開卷易明了無差别除已具狀經所屬申明外

准使府指揮依條申轉運司選官詳定具書送
秘書省國子監令 崧 專訪請名醫更乞參詳免
誤將來利益無窮功實有自時宋紹興乙亥仲
夏望日錦官史 崧 題

新刊黄帝内經靈樞集註目録

歷城縣儒學教諭田經　校正

卷之三

卷之四

卷之五

卷之六

卷之七

卷之八

卷之九

卷之十二

元二十四卷　今併爲十二卷

計八十一篇

新刊黃帝内經靈樞集註目錄畢

新刊黃帝內經靈樞集註卷之一

九針十二原第一 法天

黃帝問於岐伯曰余子萬民養百姓而收其租稅余哀其不給而屬有疾病余欲勿使被毒藥無用砭石欲以微針通其經脉調其血氣營其逆順出入之會令可傳於後世必明爲之法令終而不滅久而不絕易用難忘爲之經紀異其章別其表裏爲之終始令各有形先立針經願聞其情岐伯荅曰臣請推而次之令有綱紀始於一終於九焉請言其道小針之要易陳而難

入粗守形上守神神乎神客在門未覩其疾惡知其原刺之微在速遲粗守關上守機機之動不離其空空中之機清靜而微其來不可逢其往不可追知機之道者不可掛以髮不知機道叩之不發知其往來要與之期粗之闇乎妙哉工獨有之往者爲逆來者爲順明知逆順正行無問迎而奪之惡得無虛追而濟之惡得無實迎之隨之以意和之針道畢矣凡用針者虛則實之滿則泄之宛陳則除之邪勝則虛之大要曰徐而疾則實疾而徐則虛言實與虛若有若

無察後與先若存若亡爲虛與實若得若失虛
實之要九針最妙補寫之時以針爲之寫曰必
持內之放而出之排陽得針邪氣得泄按而引
針是謂內溫血不得散氣不得出也補曰隨之
隨之意若妄之若行若按如蚊虻止如留如還
去如絃絕令左屬右其氣故止外門已閉中氣
乃實必無留血急取誅之持針之道堅者爲實
正指直刺無針左右神在秋毫屬意病者審視
血脉者刺之無殆方刺之時必在懸陽及與兩
衛神屬勿去知病存亡血脉者在腧横居視之

獨澄切之獨堅九針之名各不同形一曰鑱針
長一寸六分二曰圓針長一寸六分三曰鍉針
長三寸半四曰鋒針長一寸六分五曰鈹針長
四寸廣二分半六曰圓利針長一寸六分七曰
毫針長三寸六分八曰長針長七寸九曰大針
長四寸鑱針者頭大末鋭去寫陽氣圓針者針
如卵形揩摩分間不得傷肌肉以寫分氣鍉針
者鋒如黍粟之鋭主按脉勿陷以致其氣鋒針
者刃三隅以發痼疾鈹針者末如劒鋒以取大
膿圓利針者大如氂且圓且鋭中身微大以取

暴氣毫針者尖如蚊虻喙靜以徐往微以久留
之而養以取痛痺長針者鋒利身薄可以取遠
痺大針者尖如挺其鋒微圓以寫機關之水也
九針畢矣夫氣之在脉也邪氣在上濁氣在中
清氣在下故針陷脉則邪氣出針中脉則濁氣
出針大深則邪氣反沉病益故曰皮肉筋脉各
有所處病各有所宜各不同形各以任其所宜
無實無虛損不足而益有餘是謂甚病病益甚
取五脉者死取三脉者恇奪陰者死奪陽者狂
針害畢矣刺之而氣不至無問其數刺之而氣

至乃去之勿復針針各有所宜各不同形各任
其所爲刺之要氣至而有効効之信若風之吹
雲明乎若見蒼天刺之道畢矣黄帝曰願聞五
藏六府所出之處岐伯曰五藏五腧五五二十
五腧六府六腧六六三十六腧經脉十二絡脉
十五凡二十七氣以上下所出爲井所溜爲滎
所注爲腧所行爲經所入爲合二十七氣所行
皆在五腧也節之交三百六十五會知其要者
一言而終不知其要流散無窮所言節者神氣
之所遊行出入也非皮肉筋骨也覩其色察其

目知其散復一其形聽其動靜知其邪正右主推之左持而禦之氣至而去之凡將用針必先診脉視氣之劇易乃可以治也五藏之氣已絶於内而用針者反實其外是謂重竭重竭必死其死也靜治之者輒反其氣取腋與膺五藏之氣已絶於外而用針者反實其内是謂逆厥逆厥則必死其死也躁治之者反取四末刺之害中而不去則精泄害中而去則致氣精泄則病益甚而恇致氣則生爲癰瘍五藏有六府六府有十二原十二原出於四關四關主治五藏五

藏有疾當取之十二原十二原者五藏之所以稟三百六十五節氣味也五藏有疾也應出十二原二原各有所出明知其原覩其應而知五藏之害矣陽中之少陰肺也其原出於大淵大淵二陽中之太陽心也其原出於大陵大陵二陰中之少陽肝也其原出於太衝太衝二陰中之至陰脾也其原出於太白太白二陰中之太陰腎也其原出於太谿太谿二膏之原出於鳩尾鳩尾一肓之原出於脖胦脖胦一凡此十二原者主治五藏六府之有疾者也脹取三陽飧

泄取三陰今夫五藏之有疾也譬猶刺也猶汚
也猶結也猶閉也刺雖久猶可拔也汚雖久猶
可雪也結雖久猶可解也閉雖久猶可決也或
言久疾之不可取者非其說也夫善用針者取
其疾也猶拔刺也猶雪汚也猶解結也猶決閉
也疾雖久猶可畢也言不可治者未得其術也
刺諸熱者如以手探湯刺寒清者如人不欲行
陰有陽疾者取之下陵三里正往無殆氣下乃
止不下復始也疾高而內者取之陰之陵泉疾
高而外者取之陽之陵泉也

宛陳上音鬱又音蘊又於阮切氂莫高切又音毫在腧春遇切鑱鉏銜切鍉音低鈹音皮蚤啄下謝纖切取三脉者恇曲王切謹按恇謂不足也脝胦上蒲沒切下烏朗切又於桑切溜謹按難經當作流滎音營絕小水也

○本輸第二　法地

黃帝問於岐伯曰凡刺之道必通十二經絡之所終始絡脉之所別處五輸之所留六府之所與合四時之所出入五藏之所溜處闊數之度淺深之狀高下所至願聞其解岐伯曰請言其次也肺出於少商少商者手大指端内側也爲

井木溜于魚際魚際者手魚也爲滎注于大淵大淵魚後一寸陷者中也爲腧行于經渠經渠寸口中也動而不居爲經入于尺澤尺澤肘中之動脉也爲合手太陰經也心出於中衝中衝手中指之端也爲井木溜於勞宫勞宫掌中中指本節之内間也爲滎注于大陵大陵掌後兩骨之間方下者也爲腧行於間使間使之道兩筋之間三寸之中也有過則至無過則止爲經入于曲澤曲澤肘内廉下陷者之中也屈而得之爲合手少陰也肝出於大敦大敦者足大指

之端及三毛之中也爲井木溜于行間行間足
大指間也爲滎注于大衝大衝行間上二寸陷
者之中也爲腧行于中封中封内踝之前一寸半
陷者之中使逆則宛使和則通揺足而得之爲
經入于曲泉曲泉輔骨之下大筋之上也屈膝
而得之爲合足厥陰也脾出於隱白隱白者足
大指之端内側也爲井木溜于大都大都本節
之後下陷者之中也爲滎注于太白太白腕骨
之下也爲腧行於商丘商丘内踝之下陷者之
中也爲經入于陰之陵泉陰之陵泉輔骨之下

陷者之中也伸而得之爲合足太陰也腎出于
湧泉湧泉者足心也爲井木溜于然谷然谷然
骨之下者也爲滎注于大谿大谿内踝之後跟
骨之上陷中者也爲腧行于復留復留上内踝
二寸動而不休爲經入于陰谷陰谷輔骨之後
大筋之下小筋之上也按之應手屈膝而得之
爲合足少陰經也膀胱出於至陰至陰者足小
指之端也爲井金溜于通谷通谷本節之前外
側也爲滎注于束骨束骨本節之後陷者中也
爲腧過于京骨京骨足外側大骨之下爲原行

于崐崘崐崘在外踝之後跟骨之上爲經入于委中委中膕中央爲合屈而取之足太陽也膽出于竅陰竅陰者足小指次指之端也爲井金溜于俠谿俠谿足小指次指之間也爲滎注于臨泣臨泣上行一寸半陷者中也爲腧過于丘墟丘墟外踝之前下陷者中也爲原行于陽輔陽輔外踝之上輔骨之前及絶骨之端也爲經入于陽之陵泉陽之陵泉在膝外陷者中也爲合伸而得之足少陽也胃出于厲兑厲兑者足大指内次指之端也爲井金溜于内庭内庭次

指外間也爲滎注于陷谷陷谷者上中指内間
上行二寸陷者中也爲腧過于衝陽衝陽足跗
上五寸陷者中也爲原搖足而得之行于解谿
解谿上衝陽一寸半陷者中也爲經入于下陵
下陵膝下三寸胻骨外三里也爲合復下三里
三寸爲巨虛上廉復下上廉三寸爲巨虛下廉
也大腸屬上小腸屬下足陽明胃脉也大腸小
腸皆屬于胃是足陽明也三焦者上合手少陽
出于關衝關衝者手小指次指之端也爲井金
溜于液門液門小指次指之間也爲滎注于中

渚中渚本節之後陷者中也爲腧過于陽池陽池在腕上陷者之中也爲原行于支溝支溝上腕三寸兩骨之間陷者中也爲經入于天井天井在肘外大骨之上陷者中也爲合屈肘乃得之三焦下腧在于足大指之前少陽之後出于膕中外廉名曰委陽是太陽絡也手少陽經也三焦者足少陽太陰一本作陽之所將太陽之别也上踝五寸别入貫腨腸出于委陽並太陽之正入絡膀胱約下焦實則閉癃虚則遺溺遺溺則補之閉癃則寫之手太陽小腸者上合於太陽

出于少澤少澤小指之端也爲井金溜于前谷前谷在手外廉本節前陷者中也爲滎注于後谿後谿者在手外側本節之後也爲腧過于腕骨腕骨在手外側腕骨之前爲原行于陽谷陽谷在銳骨之下陷者中也爲經入于小海小海在肘内大骨之外去端半寸陷者中也伸臂而得之爲合手太陽經也大腸上合手陽明出于商陽商陽大指次指之端也爲井金溜于本節之前二間爲滎注于本節之後三間爲腧過于合谷合谷在大指歧骨之間爲原行于陽谿陽

谿在兩筋間陷者中也爲經入于曲池在肘外
輔骨陷者中屈臂而得之爲合手陽明也是謂
五藏六府之腧五五二十五腧六六三十六腧
也六府皆出足之三陽上合于手者也缺盆之
中任脉也名曰天突一次任脉側之動脉足陽
明也名曰人迎二次脉手陽明也名曰扶突三
次脉手太陽也名曰天窗四次脉足少陽也名
曰天容五次脉手少陽也名曰天牖六次脉足
太陽也名曰天柱七次脉頸中央之脉督脉也
名曰風府腋内動脉手太陰也名曰天府腋下

三寸手心主也名曰天池刺上關者呿不能欠
刺下關者欠不能呿刺犢鼻者屈不能伸刺兩
關者伸不能屈足陽明挾喉之動脉也其腧在
膺中手陽明次在其腧外不至曲頰一寸手太
陽當曲頰足少陽在耳下曲頰之後手少陽出
耳後上加完骨之上足太陽挾項大筋之中髮
際陰尺動脉在五里五腧之禁也肺合于大腸
大腸者傳道之府心合小腸小腸者受盛之府
肝合膽膽者中精之府脾合胃胃者五穀之府
腎合膀胱膀胱者津液之府也少陽屬腎腎上

連肺故將兩藏三焦者中瀆之府也水道出焉屬膀胱是孤之府也是六府之所與合者春取絡脉諸榮大經分肉之間甚者深取之間者淺取之夏取諸腧孫絡肌肉皮膚之上秋取諸合餘如春法冬取諸井諸腧之分欲深而留之此四時之序氣之所處病之所舍藏之所宜轉筋者立而取之可令遂已痿厥者張而刺之可令立快也

閼數下色角切足跗下音夫呿袪遮切腨時兖切

○小針解第三法人

所謂易陳者易言也難入者難著于人也粗守形者守刺法也上守神者守人之血氣有餘不足可補寫也神客者正邪共會也神者正氣也客者邪氣也在門者邪循正氣之所出入也未覩其疾者先知邪正何經之疾也惡知其原者先知何經之病所取之處也刺之微者數遲者徐疾之意也粗守關者守四肢而不知血氣正邪之往來也上守機者知守氣也機之動不離其空中者知氣之虛實用針之徐疾也空中之機清淨以微者針以得氣密意守氣勿失也其

來不可逢者氣盛不可補也其往不可追者氣
虛不可寫也不可掛以髮者言氣易失也扣之
不發者言不知補寫之意也血氣已盡而氣不
下也知其往來者知氣之逆順盛虛也要與之
期者知氣之可取之時也粗之闇者冥冥不知
氣之微密也妙哉工獨有之者盡知針意也往
者爲逆者言氣之虛而小小者逆也來者爲順
者言形氣之平平者順也明知逆順正行無問
者言知所取之處也迎而奪之者寫也追而濟
之者補也所謂虛則實之者氣口虛而當補之

也滿則泄之者氣口盛而當寫之也宛陳則除之者去血脉也邪勝則虛之者言諸經有盛者皆寫其邪也徐而疾則實者言徐內而疾出也疾而徐則虛者言疾內而徐出也言實與虛若有若無者言實者有氣虛者無氣也察後與先若亡若存者言氣之虛實補寫之先後也察其氣之已下與常存也爲虛與實若得若失者言補者佖然若有得也寫則怳然若有失也夫氣之在脉也邪氣在上者言邪氣之中人也高故邪氣在上也濁氣在中者言水穀皆入于胃其

精氣上注於肺濁溜于腸胃言寒溫不適飲食不節而病生于腸胃故命曰濁氣在中也清氣在下者言清濕地氣之中人也必從足始故曰清氣在下也針陷脉則邪氣出者取之上針中脉則邪氣出者取之陽明合也針大深則邪氣反沉者言淺浮之病不欲深刺也深則邪氣從之入故曰反沉也皮肉筋脉各有所處者言經絡各有所主也取五脉者死言病在中氣不足但用針盡大寫其諸陰之脉也取三陽之脉者恇言盡寫三陽之氣令病人恇然不復也奪陰

者死言取尺之五里五往者也奪陽者狂正言也觀其色察其目知其散復一其形聽其動靜者言上工知相五色于目有知調尺寸小大緩急滑濇以言所病也知其邪正者知論虛邪與正邪之風也右主推之左持而禦之者言持針而出入也氣至而去之者言補寫氣調而去之也調氣在于終始一者持心也節之交三百六十五會者絡脉之滲灌諸節者也所謂五藏之氣已絕于內者脉口氣內絕不至反取其外之病處與陽經之合有留針以致陽氣陽氣至則

內重竭重竭則死矣其死也無氣以動故靜所謂五藏之氣已絕于外者脉口氣外絕不至反取其四末之輸有留鍼以致其陰氣陰氣至則陽氣反入入則逆逆則死矣其死也陰氣有餘故躁所以察其目者五藏使五色循明循明則聲章聲章者則言聲與平生異也

佖然上皮筆切又音必滿皃 怳然上吁往切狂皃 深內下音納

○邪氣藏府病形第四 法時

黃帝問於岐伯曰邪氣之中人也柰何岐伯荅曰邪氣之中人高也黃帝曰高下有度乎岐伯

曰身半已上者邪中之也身半以下者濕中之
也故曰邪之中人也無有常中于陰則溜于府
中于陽則溜于經黃帝曰陰之與陽也異名同
類上下相會經絡之相貫如環無端邪之中人
或中于陰或中于陽上下左右無有恒常其故
何也岐伯曰諸陽之會皆在于面中人也方乘
虛時及新用力若飲食汗出腠理開而中于邪
中于面則下陽明中于項則下大陽中于頰則
下少陽其中于膺背兩脇亦中其經黃帝曰其
中于陰奈何岐伯荅曰中于陰者常從臂胻始

夫臂與胻其陰皮薄其肉淖澤故俱受于風獨
傷其陰黃帝曰此故傷其藏乎岐伯荅曰身之
中于風也不必動藏故邪入于陰經則其藏氣
實邪氣入而不能客故還之於府故中陽則溜
于經中陰則溜于府黃帝曰邪之中人藏奈何
岐伯曰愁憂恐懼則傷心形寒寒飲則傷肺以
其兩寒相感中外皆傷故氣道而上行有所墮
墜惡血留内若有所大怒氣上而不下積于脇
下則傷肝有所擊仆若醉入房汗出當風則傷
脾有所用力舉重若入房過度汗出浴水則傷

腎黃帝曰五藏之中風奈何岐伯曰陰陽俱感
邪乃得往黃帝曰善哉黃帝問於岐伯曰首面
與身形也屬骨連筋同血合於氣耳天寒則裂
地凌冰其卒寒或手足懈惰然而其面不衣何
也岐伯荅曰十二經脈三百六十五絡其血氣
皆上于面而走空竅其精陽氣上走於目而爲
睛其別氣走於耳而爲聽其宗氣上出於鼻而
爲臭其濁氣出於胃走唇舌而爲味其氣之津
液皆上熏于面而皮又厚其肉堅故天熱甚寒
不能勝之也黃帝曰邪之中人其病形何如岐

伯曰虛邪之中身也洒淅動形正邪之中人也微先見于色不知于身若有若無若亡若存有形無形莫知其情黄帝曰善哉黄帝問於岐伯曰余聞之見其色知其病命曰明按其脉知其病命曰神問其病知其處命曰工余願聞見而知之按而得之問而極之爲之奈何岐伯荅曰夫色脉與尺之相應也如桴鼓影響之相應也不得相失也此亦本末根葉之出候也故根死則葉枯矣色脉形肉不得相失也故知一則爲工知二則爲神知三則神且明矣黄帝曰願卒

問之岐伯荅曰色青者其脉絃也赤者其脉鉤
也黄者其脉代也白者其脉毛黑者其脉石見
其色而不得其脉反得其相勝之脉則死矣得
其相生之脉則病已矣黄帝問於岐伯曰五藏
之所生變化之病形何如岐伯荅曰先定其五
色五脉之應其病乃可别也黄帝曰色脉已定
别之柰何岐伯曰調其脉之緩急小大滑濇而
病變定矣黄帝曰調之柰何岐伯荅曰脉急者
尺之皮膚亦急脉緩者尺之皮膚亦緩脉小者
尺之皮膚亦減而少氣脉大者尺之皮膚亦賁

而起脉滑者尺之皮膚亦滑脉濇者尺之皮膚亦濇凡此變者有微有甚故善調尺者不待於寸善調脉者不待於色能參合而行之者可以爲上工上工十全九行二者爲中工中工十全七行一者爲下工下工十全六黄帝曰請問脉之緩急小大滑濇之病形何如岐伯曰臣請言五藏之病變也心脉急甚者爲瘛瘲微急爲心痛引背食不下緩甚爲狂笑微緩爲伏梁在心下上下行時唾血大甚爲喉吤微大爲心痹引背善淚出小甚爲善噦微小爲消癉滑甚爲善

渴微滑爲心疝引臍小腹鳴濇甚爲瘖微濇爲血溢維厥耳鳴顛疾　肺脉急甚爲癲疾微急爲肺寒熱怠惰欬唾血引腰背胷若鼻息肉不通緩甚爲多汗微緩爲痿瘻偏風頭以下汗出不可止大甚爲脛腫微大爲肺痺引胷背起惡日光小甚爲泄微小爲消癉滑甚爲息賁上氣微滑爲上下出血濇甚爲嘔血微濇爲鼠瘻在頸支腋之間下不勝其上其應善痠矣　肝脉急甚者爲惡言微急爲肥氣在脇下若覆杯緩甚爲善嘔微緩爲水瘕痺也大甚爲内癰善嘔

衄微大爲肝痹陰縮欬引小腹小甚爲多飲微
小爲消癉滑甚爲㿗疝微滑爲遺溺濇甚爲溢
飲微濇爲瘈攣筋痹　脾脉急甚爲瘈瘲微急
爲膈中食飲入而還出後沃沫緩甚爲痿厥微
緩爲風痿四肢不用心慧然若無病大甚爲擊
仆微大爲疝氣腹裏大膿血在腸胃之外小甚
爲寒熱微小爲消癉滑甚爲㿗癃微滑爲蟲毒
蛕蝎腹熱濇甚爲腸㿗微濇爲内㿗多下膿血
腎脉急甚爲骨癲疾微急爲沉厥奔豚足不收
不得前後緩甚爲折脊微緩爲洞洞者食不化

下嗌還出大甚爲陰痿微大爲石水起臍已下至小腹腄腄然上至胃脘死不治小甚爲洞泄微小爲消癉滑甚爲㿉癃微滑爲骨痿坐不能起起則目無所見濇甚爲大癰微濇爲不月沉痔黄帝曰病之六變者刺之奈何岐伯荅曰諸急者多寒緩者多熱大者多氣少血小者血氣皆少滑者陽氣盛微有熱濇者多血少氣微有寒是故刺急者深內而久留之刺緩者淺內而疾發針以去其熱刺大者微寫其氣無出其血刺滑者疾發針而淺內之以寫其陽氣而去其

熱刺濇者必中其脉隨其逆順而久留之必先
按而循之已發針疾按其痏無令其血出以和
其脉諸小者陰陽形氣俱不足勿取以針而調
以甘藥也黄帝曰余聞五藏六府之氣滎輸所
入爲合令何道從入入安連過願聞其故岐伯
荅曰此陽脉之别入于内屬於府者也黄帝曰
滎輸與合各有名乎岐伯荅曰滎輸治外經合
治内府黄帝曰治内府柰何岐伯曰取之於合
黄帝曰合各有名乎岐伯荅曰胃合於三里大
腸合入于巨虚上廉小腸合入于巨虚下廉三

焦合入於委陽膀胱合入于委中央膽合入于
陽陵泉黄帝曰取之奈何歧伯答曰取之三里
者低跗取之巨虚者舉足取之委陽者屈伸而
索之委中者屈而取之陽陵泉者正竪膝予之
臍下至委陽之陽取之取諸外經者揄申而從
之黄帝曰願聞六府之病歧伯答曰面熱者足
陽明病魚絡血者手陽明病兩跗之上脉竪陷
者足陽明病此胃脉也大腸病者腸中切痛而
鳴濯濯冬日重感于寒即泄當臍而痛不能久
立與胃同候取巨虚上廉胃病者腹䐜脹胃脘

當心而痛上支兩脇膈咽不通食飲不下取之三里也

小腸病者小腹痛腰脊控睪而痛時窘之後當耳前熱若寒甚若獨肩上熱甚及手小指次指之間熱若脉陷者此其候也手太陽病也取之巨虛下廉

三焦病者腹氣滿小腹尤堅不得小便窘急溢則水留即為脹候在足太陽之外大絡大絡在太陽少陽之間亦見于脉取委陽

膀胱病者小腹偏腫而痛以手按之即欲小便而不得肩上熱若脉陷及足小指外廉及脛踝後皆熱若脉陷取委中央

膽病

者善大息口苦嘔宿汁心下澹澹恐人將捕之嗌中吤吤然數唾在足少陽之本末亦視其脈之陷下者灸之其寒熱者取陽陵泉黃帝曰刺之有道乎岐伯荅曰刺此者必中氣穴無中肉節中氣穴則針染一作遊于巷中肉節即皮膚痛補寫反則病益篤中筋則筋緩邪氣不出與其眞相搏亂而不去反還內著用針不審以順爲逆也

中于膂背一作肩背亦中其經一本作下其經脐戶富切淖澤上奴教切下澤同甲乙經上音澤下音液謹詳淖澤也澤液也入而不容

一本作容　瘛瘲上治下縱　吤音戒　噦乙劣切　息賁下音奔　痠音酸

瘕音賈　㿉徒回切　仆音付　蛕蝎上胡恢切腹中長虫下胡葛切蠹虫也

腄竹垂切　痏榮美切　揄春朱切　睾音高陰丸也　維厥詳卄經絡

存陽維陰維故存維厥

新刊黃帝內經靈樞集註卷之一

新刊黃帝內經靈樞集註卷之二

(一)根結第五 法音

岐伯曰天地相感寒暖相移陰陽之道孰少孰多陰道偶陽道奇發于春夏陰氣少陽氣多陰陽不調何補何寫發于秋冬陽氣少陰氣多陰氣盛而陽氣衰故莖葉枯槁濕雨下歸陰陽相移何寫何補奇邪離經不可勝數不知根結五藏六府折關敗樞開闔而走陰陽大失不可復取九針之玄要在終始故能知終始一言而畢不知終始針道咸絕太陽根于至陰結于命門

命門者目也陽明根于厲兌結于顙大顙大者鉗耳也少陽根于竅陰結于窻籠窻籠者耳中也太陽爲開陽明爲闔少陽爲樞故開折則肉節瀆而暴病起矣故暴病者取之太陽視有餘不足瀆者皮肉宛膲而弱也闔折則氣無所止息而痿疾起矣故痿疾者取之陽明視有餘不足無所止息者眞氣稽留邪氣居之也樞折即骨繇而不安於地故骨繇者取之少陽視有餘不足骨繇者節緩而不取也所謂骨繇者搖故也當窮其本也太陰根于隱白結于大倉少陰

根于涌泉結于廉泉厥陰根于大敦結于玉英
絡于膻中太陰爲開厥陰爲闔少陰爲樞故開
折則倉廩無所輸膈洞膈洞者取之太陰視有
餘不足故開折者氣不足而生病也闔折即氣
絶而喜悲悲者取之厥陰視有餘不足樞折則
脉有所結而不通不通者取之少陰視有餘不
足有結者皆取之不足足太陽根于至陰溜于
京骨注于崑崙入于天柱飛揚也足少陽根于
竅陰溜于丘墟注于陽輔入于天容光明也足
陽明根于厲兌溜于衝陽注于下陵入于人迎

豐隆也手太陽根于少澤溜于陽谷注于少海
入于天窻支正也手少陽根于關衝溜于陽池
注于支溝入于天牖外關也手陽明根于商陽
溜于合谷注于陽谿入于扶突偏歷也此所謂
十二經者盛絡皆當取之一日一夜五十營以
營五藏之精不應數者名曰狂生所謂五十營
者五藏皆受氣持其脉口數其至也五十動而
不一代者五藏皆受氣四十動一代者一藏無
氣三十動一代者二藏無氣二十動一代者三
藏無氣十動一代者四藏無氣不滿十動一代

者五藏無氣予之短期要在終始所謂五十動而不一代者以為常也以知五藏之期予之短期者乍數乍疎也黄帝曰逆順五體者言人骨節之小大肉之堅脆皮之厚薄血之清濁氣之滑濇脉之長短血之多少經絡之數余已知之矣此皆布衣匹夫之士也夫王公大人血食之君身體柔脆肌肉軟弱血氣慓悍滑利其刺之徐疾淺深多少可得同之乎岐伯荅曰膏粱菽藿之味何可同也氣滑即出疾其氣濇則出遲氣悍則針小而入淺氣濇則針大而入深深則

欲留淺則欲疾以此觀之刺布衣者深以留之刺大人者微以徐之此皆因氣慓悍滑利也黄帝曰形氣之逆順奈何岐伯曰形氣不足病氣有餘是邪勝也急寫之形氣有餘病氣不足急補之形氣不足病氣不足此陰陽氣俱不足也不可刺之刺之則重不足重不足則陰陽俱竭血氣皆盡五藏空虚筋骨髓枯老者絶滅壯者不復矣形氣有餘病氣有餘此謂陰陽俱有餘也急寫其邪調其虚實故曰有餘者寫之不足者補之此之謂也故曰刺不知逆順眞邪相搏

滿而補之則陰陽四溢腸胃充郭肝肺內䐜陰陽相錯虛而寫之則經脉空虛血氣竭枯腸胃㒤辟皮膚薄著毛腠夭膲予之死期故曰用鍼之要在于知調陰與陽調陰與陽精氣乃光合形與氣使神內藏故曰上工平氣中工亂脉下工絕氣危生故曰下工不可不慎也必審五藏變化之病五脉之應經絡之實虛皮之柔麤而後取之也

骨䜌音攣慓悍上比昭切下侯岸切勇健貌也陽道奇音箕

壽夭剛柔第六 法律

黄帝問於少師曰余聞人之生也有剛有柔有弱有強有短有長有陰有陽願聞其方少師荅曰陰中有陰陽中有陽審知陰陽刺之有方得病所始刺之有理謹度病端與時相應內合于五藏六府外合于筋骨皮膚是故內有陰陽外亦有陰陽在內者五藏為陰六府為陽在外者筋骨為陰皮膚為陽故曰病在陰之陰者刺陰之滎輸病在陽之陽者刺陽之合病在陽之陰者刺陰之經病在陰之陽者刺絡脉故曰病在陽者命曰風病在陰者命曰痺病陽俱病命曰

風痺病有形而不痛者陽之類也無形而痛者陰之類也無形而痛者其陽完而陰傷之也急治其陰無攻其陽有形而不痛者其陰完而陽傷之也急治其陽無攻其陰陰陽俱動乍有形乍無形加以煩心命曰陰勝其陽此謂不表不裏其形不久黃帝問於伯高曰余聞形氣病之先後外內之應奈何伯高答曰風寒傷形憂恐忿怒傷氣氣傷藏乃病藏寒傷形乃應形風傷筋脉筋脉乃應此形氣外內之相應也黃帝曰刺之奈何伯高答曰病九日者三刺而已病一

月者十刺而已多少遠近以此衰之久痺不去身者視其血絡盡出其血黃帝曰外内之病難易之治奈何伯高荅曰形先病而未入藏者刺之半其日藏先病而形乃應者刺之倍其日此外内難易之應也黃帝問於伯高曰余聞形有緩急氣有盛衰骨有大小肉有堅脆皮有厚薄其以立壽夭奈何伯高荅曰形與氣相任則壽不相任則夭皮與肉相果則壽不相果則夭血氣經絡勝形則壽不勝形則夭黃帝曰何謂形之緩急伯高荅曰形充而皮膚緩者則壽形充

而皮膚急者則夭形充而脉堅大者順也形充而脉小以弱者氣衰衰則危矣若形充而顴不起者骨小骨小而夭矣形充而大肉䐃堅而有分者肉堅肉堅則壽矣形充而大肉無分理不堅者肉脆肉脆則夭矣此天之生命所以立形定氣而視壽夭者必明乎此立形定氣而後以臨病人決死生黄帝曰余聞壽夭無以度之伯高答曰牆基卑高不及其地者不滿三十而死其有因加疾者不及二十而死也黄帝曰形氣之相勝以立壽夭奈何伯高答曰平人而氣勝

形者壽病而形肉脫氣勝形者死形勝氣者危
矣黃帝曰余聞刺有三變何謂三變伯高答曰
有刺營者有刺衛者有刺寒痺之留經者黃帝
曰刺三變者柰何伯高答曰刺營者出血刺衛
者出氣刺寒痺者內熱黃帝曰營衛寒痺之為
病柰何伯高答曰營之生病也寒熱少氣血上
下行衛之生病也氣痛時來時去怫愾賁響風
寒客于腸胃之中寒痺之為病也留而不去時
痛而皮不仁黃帝曰刺寒痺內熱柰何伯高答
曰刺布衣者以火焠之刺大人者以藥熨之黃

帝曰藥熨奈何伯高答曰用醇酒二十升蜀椒一升乾薑一斤桂心一斤凡四種皆㕮咀漬酒中用綿絮一斤細白布四丈并内酒中置酒馬矢熅中蓋封塗勿使泄五日五夜出布綿絮曝乾之乾復漬以盡其汁每漬必晬其日乃出乾乾并用滓與綿絮複布為複巾長六七尺為六七巾則用之生桑炭炙巾以熨寒痺所刺之處令熱入至于病所寒復炙巾以熨之三十遍而止汗出以巾拭身亦三十遍而止起步内中無見風每刺必熨如此病已矣此所謂内熱也

顴音權　䐃堅上渠永切腹中䐃脂　怫愾上扶勿切鬱也爲意舒下許氣切

吺咀上音甫下才與切　熅於文切烟熅氣也　晬其日上音醉同也

○官針第七法星

凡刺之要官針最妙九針之宜各有所爲長短大小各有所施也不得其用病弗能移疾淺針深內傷良肉皮膚爲癰病深針淺病氣不寫支爲大膿病小針大氣寫太甚疾必爲害寫大針小氣不泄寫亦復爲敗失針之宜大者寫小者不移已言其過請言其所施病在皮膚無常處者取以鑱針于病所膚白勿取病在分肉間取

以員針于病所病在經絡痼痺者取以鋒針病
在脉氣少當補之者取之鍉針于井滎分輸病
爲大膿者取以鈹針病痺氣暴發者取以員利
針病痺氣痛而不去者取以毫針病在中者取
以長針病水腫不能通關節者取以大針病在
五藏固居者取以鋒針寫于井滎分輸取以四
時凡刺有九日應九變一曰輸刺輸刺者刺諸
經滎輸藏腧也二曰遠道刺遠道刺者病在上
取之下刺府腧也三曰經刺經刺者刺大經之
結絡經分也四曰絡刺絡刺者刺小絡之血脉

也五曰分刺分刺者刺分肉之間也六曰大寫
刺大寫刺者刺大膿以鈹針也七曰毛刺毛刺
者刺浮痺皮膚也八曰巨刺巨刺者左取右右
取左九曰焠刺焠刺者刺燔針則取痺也凡刺
有十二節以應十二經一曰偶刺偶刺者以手
直心若背直痛所一刺前一刺後以治心痺刺
此者傍針之也二曰報刺報刺者刺痛無常處
也上下行者直內無拔針以左手隨病所按之
乃出針復刺之也三曰恢刺恢刺直刺傍之舉
之前後恢筋急以治筋痺也四曰齊刺齊刺者

直入一傍入二以治寒氣小深者或曰三刺三
刺者治痹氣小深者也五日揚刺揚刺者正内
一傍内四而浮之以治寒氣之博大者也六曰
直針刺直針刺者引皮乃刺之以治寒氣之淺
者也七曰輸刺輸刺者直入直出稀發針而深
之以治氣盛而熱者也八曰短刺短刺者刺骨
痺稍搖而深之致針骨所以上下摩骨也九曰
浮刺浮刺者傍入而浮之以治肌急而寒者也
十曰陰刺陰刺者左右率刺之以治寒厥中寒
厥足踝後少陰也十一曰傍針刺傍針刺者直

刺傍刺各一以治留痺久居者也十二曰贊刺贊刺者直入直出數發針而淺之出血是謂治癰腫也脉之所居深不見者刺之微內針而久留之以致其空脉氣也脉淺者勿刺按絶其脉乃刺之無令精出獨出其邪氣耳所謂三刺則穀氣出者先淺刺絶皮以出陽邪再刺則陰邪出者少益深絶皮致肌肉未入分肉間也已入分肉之間則穀氣出故刺法曰始刺淺之以逐邪氣而來血氣後刺深之以致陰氣之邪最後刺極深之以下穀氣此之謂也故用針者不知

年之所加氣之盛衰虛實之所起不可以爲工也凡刺有五以應五藏一曰半刺半刺者淺内而疾發針無針傷肉如拔毛狀以取皮氣此肺之應也二曰豹文刺豹文刺者左右前後針之中脉爲故以取經絡之血者此心之應也三曰關刺關刺者直刺左右盡筋上以取筋痺慎無出血此肝之應也或曰淵刺一曰豈刺四曰合谷刺合谷刺者左右雞足針于分肉之間以取肌痺此脾之應也五曰輸刺輸刺者直入直出深内之至骨以取骨痺此腎之應也

燔針上音煩　恢刺上苦回切太也一本作怪字

（本神第八　法風

黃帝問於岐伯曰凡刺之法先必本于神血脉營氣精神此五藏之所藏也至其淫泆離藏則精失魂魄飛揚志意恍亂智慮去身者何因而然乎天之罪與人之過乎何謂德氣生精神魂魄心意志思智慮請問其故岐伯答曰天之在我者德也地之在我者氣也德流氣薄而生者也故生之來謂之精兩精相搏謂之神隨神往來者謂之魂並精而出入者謂之魄所以任物

者謂之心心有所憶謂之意意之所存謂之志
因志而存變謂之思因思而遠慕謂之慮因慮
而處物謂之智故智者之養生也必順四時而
適寒暑和喜怒而安居處節陰陽而調剛柔如
是則僻邪不至長生久視是故怵惕思慮者則
傷神神傷則恐懼流淫而不止因悲哀動中者
竭絶而失生喜樂者神憚散而不藏愁憂者氣
閉塞而不行盛怒者迷惑而不治恐懼者神蕩
憚而不收心怵惕思慮則傷神神傷則恐懼自
失破䐃脫肉毛悴色夭死于冬脾愁憂而不解

則傷意意傷則悗亂四肢不舉毛悴色夭死於春肝悲哀動中則傷魂魂傷則狂忘不精不精則不正當人陰縮而攣筋兩脇骨不舉毛悴色夭死于秋肺喜樂無極則傷魄魄傷則狂狂者意不存人皮革焦毛悴色夭死于夏腎盛怒而不止則傷志志傷則喜忘其前言腰脊不可以俛仰屈伸毛悴色夭死于季夏恐懼而不解則傷精精傷則骨痠痿厥精時自下是故五藏主藏精者也不可傷傷則失守而陰虛陰虛則無氣無氣則死矣是故用針者察觀病人之態以

知精神魂魄之存亡得失之意五者以傷針不可以治之也肝藏血血舍魂肝氣虛則恐實則怒脾藏營營舍意脾氣虛則四支不用五藏不安實則腹脹經溲不利心藏脉脉舍神心氣虛則悲實則笑不休肺藏氣氣舍魄肺氣虛則鼻塞不利少氣實則喘喝胷盈仰息腎藏精精舍志腎氣虛則厥實則脹五藏不安必審五藏之病形以知其氣之虛實謹而調之也

悗亂上音悶 怵惕上恥律切下他的切悚懼也

○終始第九法野

凡刺之道畢于終始明知終始五藏爲紀陰陽定矣陰者主藏陽者主府陽受氣于四末陰受氣于五藏故寫者迎之補者隨之知迎知隨氣可令和和氣之方必通陰陽五藏爲陰六府爲陽傳之後世以血爲盟敬之者昌慢之者亡無道行私必得天殃謹奉天道請言終始終始者經脉爲紀持其脉口人迎以知陰陽有餘不足平與不平天道畢矣所謂平人者不病不病者脉口人迎應四時也上下相應而俱往來也六經之脉不結動也本末之寒溫之相守司也形

內血氣必相稱也是謂平人少氣者脉口人迎
俱少而不稱尺寸也如是者則陰陽俱不足補
陽則陰竭寫陰則陽脫如是者可將以甘藥不
可飲以至劑如□者弗灸不已者因而寫之則
五藏氣壞矣人迎一盛病在足少陽一盛而躁
病在手少陽人迎二盛病在足太陽二盛而躁
病在手太陽人迎三盛病在足陽明三盛而躁
病在手陽明人迎四盛且大且數名曰溢陽溢
陽爲外格脉口一盛病在足厥陰厥陰一盛而
躁在手心主脉口二盛病在足少陰二盛而躁

在手少陰脉口三盛病在足太陰三盛而躁在
手太陰脉口四盛且大且數者名曰溢陰溢陰
爲内關内關不通死不治人迎與太陰脉口俱
盛四倍以上命曰關格關格者與之短期人迎
一盛寫足少陽而補足厥陰二寫一補日一取
之必切而驗之踈取之上氣和乃止人迎二盛
寫足太陽補足少陰二寫一補二日一取之必
切而驗之踈取之上氣和乃止人迎三盛寫足
陽明而補足太陰二寫一補日二取之必切而
驗之踈取之上氣和乃止脉口一盛寫足厥陰

而補足少陽二補一寫日一取之必切而驗之踈而取上氣和乃止脉口二盛寫足少陰而補足太陽二補一寫二日一取之必切而驗之踈取之上氣和乃止脉口三盛寫足太陰而補足陽明二補一寫日二取之必切而驗之踈而取之上氣和乃止所以日二取之者太陽主胃大富于穀氣故可日二取之也人迎與脉口俱盛三倍以上命曰陰陽俱溢如是者不開則血脉閉塞氣無所行流溢于中五藏内傷如此者因而灸之則變易而爲他病矣凡刺之道氣調而

止補陰瀉陽音氣益彰耳目聰明反此者血氣不行所謂氣至而有効者瀉則益虛虛者脉大如其故而不堅也堅如其故者適雖言故病未去也補則益實實者脉大如其故而益堅也夫如其故而不堅者適雖言快病未去也故補則實寫則虛痛雖不隨針病必衰去必先通十二經脉之所生病而後可得傳于終始矣故陰陽不相移虛實不相傾取之其經凡刺之屬三刺至穀氣邪僻妄合陰陽易居逆順相反沉浮異處四時不得稽留淫泆須針而去故一刺則陽

邪出再刺則陰邪出三刺則穀氣至穀氣至而止所謂穀氣至者已補而實已寫而虛故以知穀氣至也邪氣獨去者陰與陽未能調而病知愈也故曰補則實寫則虛痛雖不隨鍼病必衰去矣陰盛而陽虛先補其陽後寫其陰而和之陰虛而陽盛先補其陰後寫其陽而和之三脉動于足大指之間必審其實虛虛而寫之是謂重虛重虛病益甚凡刺此者以指按之脉動而實且疾者疾寫之虛而徐者則補之反此者病益甚其動也陽明在上厥陰在中少陰在下膺

腧中膂肓腧中背肩膊虛者取之上重舌刺舌柱以鈹針也手屈而不伸者其病在筋伸而不屈者其病在骨在骨守骨在筋守筋補須一方實深取之稀按其痏以極出其邪氣一方虛淺刺之以養其脉疾按其痏無使邪氣得入邪氣來也緊而疾穀氣來也徐而和脉實者深刺之以泄其氣脉虛者淺刺之使精氣無得出以養其脉獨出其邪氣刺諸痛者其脉皆實故曰從腰以上者手太陰陽明皆主之從腰以下者足太陰陽明皆主之病在上者下取之病在下者

而取之病在頭者取之足病在腰者取之膕病
生於頭者頭重生於手者臂重生於足者足重
治病者先刺其病所從生者也春氣在毛夏氣
在皮膚秋氣在分肉冬氣在筋骨刺此病者各
以其時爲齊故刺肥人者秋冬之齊刺瘦人者
以春夏之齊病痛者陰也痛而以手按之不得
者陰也深刺之病在上者陽也病在下者陰也
癢者陽也淺刺之病先起陰者先治其陰而後
治其陽病先起陽者先治其陽而後治其陰刺
熱厥者留針反爲寒刺寒厥者留針反爲熱刺

熱厥者二陰一陽刺寒厥者二陽一陰所謂二陰者二刺陰也一陽者一刺陽也久病者邪氣入深刺此病者深內而久留之間日而復刺之必先調其左右去其血脈刺道畢矣凡刺之法必察其形氣形肉未脫少氣而脈又躁躁厥者必為繆刺之散氣可收聚氣可布深居靜處占神往來閉戶塞牖魂魄不散專意一神精氣之分毋聞人聲以收其精必一其神令志在針淺而留之微而浮之以移其神氣至乃休男內女外堅拒勿出謹守勿內是謂得氣

凡刺之禁

新内勿刺　新刺勿内　已醉勿刺

已刺勿醉　新怒勿刺　已刺勿怒

新勞勿刺　已刺勿勞　已飽勿刺

已刺勿飽　已飢勿刺　已刺勿飢

已渴勿刺　已刺勿渴　大驚大恐必定

其氣乃刺之乘車來者卧而休之如食頃乃刺之出行來者坐而休之如行十里頃乃刺之凡此十二禁者其脉亂氣散逆其營衛經氣不次因而刺之則陽病入於陰陰病出爲陽則邪氣

復生粗工勿察是謂伐身形體淫泆乃消腦髓津液不化脫其五味是謂失氣也太陽之脉其終也戴眼反折瘈瘲其色白絶皮乃絶汗絶汗則終矣少陽終者耳聾百節盡縱目系絶目系絶一日半則死矣其死也色青白乃死陽明終者口目動作喜驚妄言色黃其上下之經盛而不行則終矣少陰終者面黑齒長而垢腹脹閉塞上下不通而終矣厥陰終者中熱嗌乾喜溺心煩甚則舌卷卵上縮而終矣太陰終者腹脹閉不得息氣噫善嘔嘔則逆逆則面赤不逆則

上下不通上下不通則面黑皮毛焦而終矣

繆刺（上眉救切）男內女外（難經作男外女內）淫濼（下迷各切）齒

長（平聲）

新刊黃帝內經靈樞集註卷之二

靈樞 二

卷二　十八

新刊黃帝內經靈樞集註卷之三

○經脉第十

雷公問於黃帝曰禁脉之言凡刺之理經脉爲始營其所行制其度量內次五藏外別六府願盡聞其道黃帝曰人始生先成精精成而腦髓生骨爲榦脉爲營筋爲剛肉爲牆皮膚堅而毛髮長穀入于胃脉道以通血氣乃行雷公曰願卒聞經脉之始生黃帝曰經脉者所以能決死生處百病調虛實不可不通○肺手太陰之脉起于中焦下絡太腸還循胃口上膈屬肺從肺

系横出腋下下循臑內行少陰心主之前下肘中循臂內上骨下廉入寸口上魚循魚際出大指之端其支者從腕後直出次指內廉出其端是動則病肺脹滿膨膨而喘欬缺盆中痛甚則交兩手而瞀此爲臂厥是主肺所生病者欬上氣喘喝煩心胷滿臑臂內前廉痛厥掌中熱氣盛有餘則肩背痛風寒汗出中風小便數而欠氣虛則肩背痛寒少氣不足以息溺色變爲此諸病盛則寫之虛則補之熱則疾之寒則留之陷下則灸之不盛不虛以經取之盛者寸口大

三倍于人迎虚者則寸口反小于人迎也○大腸手陽明之脉起于大指次指之端循指上廉出合谷兩骨之間上入兩筋之中循臂上廉入肘外廉上臑外前廉上肩出髃骨之前廉上出于柱骨之會上下入缺盆絡肺下膈屬大腸其支者從缺盆上頸貫頰入下齒中還出挾口交人中左之右右之左上挾鼻孔是動則病齒痛頸腫是主津液所生病者目黃口乾鼽衄喉痺肩前臑痛大指次指痛不用氣有餘則當脉所過者熱腫虛則寒慄不復爲此諸病盛則寫之

虛則補之熱則疾之寒則留之陷下則灸之不盛不虛以經取之盛者人迎大三倍于寸口虛者人迎反小於寸口也○胃足陽明之脉起於鼻之交頞中旁納一本作約字太陽之脉下循鼻外入上齒中還出挾口環脣下交承漿却循頤後下廉出大迎循頰車上耳前過客主人循髮際至額顱其支者從大迎前下人迎循喉嚨入缺盆下膈屬胃絡脾其直者從缺盆下乳內廉下挾臍入氣街中其支者起于胃口下循腹裏下至氣街中而合以下髀關抵伏兔下膝臏中下

循脛外廉下足跗入中指內間其支者下廉三寸而別下入中指外間其支者別跗上入大指間出其端是動則病洒洒振寒善呻數欠顏黑病至則惡人與火聞木聲則惕然而驚心動欲獨閉戶塞牖而處甚則欲上高而歌棄衣而走賁響腹脹是爲骭厥是主血所生病者狂瘧溫淫汗出鼽衄口喎脣胗頸腫喉痺大腹水腫膝臏腫痛循膺乳氣街股伏兎骭外廉足跗上皆痛中指不用氣盛則身以前皆熱其有餘于胃則消穀善飢溺色黃氣不足則身以前皆寒慄胃

中寒則脹滿爲此諸病盛則寫之虛則補之熱則疾之寒則留之陷下則灸之不盛不虛以經取之盛者人迎大三倍于寸口虛者人迎反小于寸口也○脾足太陰之脉起于大指之端循指內側白肉際過核骨後上內踝前廉上踹內循脛骨後交出厥陰之前上膝股內前廉入腹屬脾絡胃上膈挾咽連舌本散舌下其支者復從胃別上膈注心中是動則病舌本強食則嘔胃脘痛腹脹善噫得後與氣則快然如衰身體皆重是主脾所生病者舌本痛體不能動搖食

不下煩心心下急痛溏瘕泄水閉黃疸不能卧強立股膝内腫厥足大指不用爲此諸病盛則寫之虛則補之熱則疾之寒則留之陷下則灸之不盛不虛以經取之盛者寸口大三倍于人迎虛者寸口反小于人迎也○心手少陰之脉起于心中出屬心系下膈絡小腸其支者從心系上挾咽繫目系其直者復從心系却上肺下出腋下下循臑内後廉行太陰心主之後下肘内循臂内後廉抵掌後銳骨之端入掌内後廉循小指之内出其端是動則病嗌乾心痛渴而欲

飲是爲臂厥是主心所生病者目黃脇痛臑臂
内後廉痛厥掌中熱痛爲此諸病盛則寫之虛
則補之熱則疾之寒則留之陷下則灸之不盛
不虛以經取之盛者寸口大再倍於人迎虛者
寸口反小于人迎也○小腸手太陽之脉起于
小指之端循手外側上腕出踝中直上循臂骨
下廉出肘内側兩筋之間上循臑外後廉出肩
解繞肩胛交肩上入缺盆絡心循咽下膈抵胃
屬小腸其支者從缺盆循頸上頰至目銳眥却
入耳中其支者别頰上䪼抵鼻至目内眥斜絡

于顴是動則病嗌痛頷腫不可以顧肩似拔臑
似折是主液所生病者耳聾目黃頰腫頸頷肩
臑肘臂外後廉痛爲此諸病盛則寫之虛則補
之熱則疾之寒則留之陷下則灸之不盛不虛
以經取之盛者人迎大再倍于寸口虛者人迎
反小于寸口也○膀胱足太陽之脉起于目内
眥上額交巔其支者從巔至耳上角其直者從
巔入絡腦還出别下項循肩髆内挾脊抵腰中
入循膂絡腎屬膀胱其支者從腰中下挾脊貫
臀入膕中其支者從髆内左右别下貫胛挾脊

内過髀樞循髀外從後廉下合膕中以下貫腨
内出外踝之後循京骨至小指外側是動則病
衝頭痛目似脫項如拔脊痛腰似折髀不可以
曲膕如結踹如裂是爲踝厥是主筋所生病者
痔瘧狂癲疾頭腦頂痛目黃淚出鼽衄項背腰
尻膕踹腳皆痛小指不用爲此諸病盛則寫之
虛則補之熱則疾之寒則留之陷下則灸之不
盛不虛以經取之盛者人迎大再倍于寸口虛
者人迎反小于寸口也○腎足少陰之脉起于
小指之下斜趍足心出于然谷之下循内踝之

後別入跟中以上腨內出膕內廉上股內後廉貫脊屬腎絡膀胱其直者從腎上貫肝膈入肺中循喉嚨挾舌本其支者從肺出絡心注胸中是動則病飢不欲食面如漆柴欬唾則有血喝喝而喘坐而欲起目䀮䀮如無所見心如懸若飢狀氣不足則善恐心惕惕如人將捕之是爲骨厥是主腎所生病者口熱舌乾咽腫上氣嗌乾及痛煩心心痛黃疸腸澼脊股內後廉痛痿厥嗜臥足下熱而痛爲此諸病盛則寫之虛則補之熱則疾之寒則留之陷下則灸之不盛不

虛以經取之灸則強食生肉緩帶披髮大杖重履而步盛者寸口大再倍于人迎虛者寸口反小于人迎也○心主手厥陰心包絡之脉起于胷中出屬心包絡下膈歷絡三膲其支者循胷出脇下腋三寸上抵腋下循臑內行太陰少陰之間入肘中下臂行兩筋之間入掌中循中指出其端其支者別掌中循小指次指出其端是動則病手心熱臂肘攣急腋腫甚則胷脇支滿心中憺憺大動面赤目黃喜笑不休是主脉所生病者煩心心痛掌中熱爲此諸病盛則寫之

虛則補之熱則疾之寒則留之陷下則灸之不
盛不虛以經取之盛者寸口大一倍于人迎虛
者寸口反小于人迎也○三焦手少陽之脉起
于小指次指之端上出兩指之間循手表腕出
臂外兩骨之間上貫肘循臑外上肩而交出足
少陽之後入缺盆布膻中散絡心包下膈循屬
三焦其支者從膻中上出缺盆上項繫耳後直
上出耳上角以屈下頰至䪼其支者從耳後入
耳中出走耳前過客主人前交頰至目銳眥是
動則病耳聾渾渾焞焞嗌腫喉痺是主氣所生

病者汗出目銳眥痛頰痛耳後肩臑肘臂外皆痛小指次指不用爲此諸病盛則寫之虛則補之熱則疾之寒則留之陷下則灸之不盛不虛以經取之盛者人迎大一倍于寸口虛者人迎反小于寸口也〇膽足少陽之脉起于目銳眥上抵頭角下耳後循頸行手少陽之前至肩上却交出手少陽之後入缺盆其支者從耳後入耳中出走耳前至目銳眥後其支者别銳眥下大迎合于手少陽抵于䪼下加頰車下頸合缺盆以下胷中貫膈絡肝屬膽循脇裏出氣街繞

毛際橫入髀厭中其直者從缺盆下腋循胸過
季脇下合髀厭中以下循髀陽出膝外廉下外
輔骨之前直下抵絶骨之端下出外踝之前循
足跗上入小指次指之間其支者別跗上入大
指之間循大指歧骨內出其端還貫爪甲出三
毛是動則病口苦善大息心脇痛不能轉側甚
則面微有塵體無膏澤足外反熱是爲陽厥是
主骨所生病者頭痛頷痛目鋭眥痛缺盆中腫
痛腋下腫馬刀俠癭汗出振寒瘧胸脇肋髀膝
外至脛絶骨外踝前及諸節皆痛小指次指不

用爲此諸病盛則寫之虚則補之熱則疾之寒
則留之陷下則灸之不盛不虚以經取之盛者
人迎大一倍于寸口虚者人迎反小于寸口也
○肝足厥陰之脉起于大指叢毛之際上循足
跗上廉去内踝一寸上踝八寸交出太陰之後
上膕内廉循股陰入毛中過陰器抵小腹挾胃
屬肝絡膽上貫膈布脇肋循喉嚨之後上入頏
顙連目系上出額與督脉會于巔其支者從目
系下頰裏環脣内其支者復從肝別貫膈上注
肺是動則病腰痛不可以俛仰丈夫㿉疝婦人

少腹腫甚則嗌乾面塵脫色是肝所生病者胷滿嘔逆飧泄狐疝遺溺閉癃爲此諸病盛則寫之虛則補之熱則疾之寒則留之陷下則灸之不盛不虛以經取之盛者寸口大一倍于人迎虛者寸口反小于人迎也○手太陰氣絶則皮毛焦太陰者行氣溫于皮毛者也故氣不榮則皮毛焦皮毛焦則津液去皮節津液去皮節者則爪枯毛折毛折者則毛先死丙篤丁死火勝金也○手少陰氣絶則脉不通脉不通則血不流血不流則髦色不澤故其面黑如漆柴者血

先死壬篤癸死水勝火也○足太陰氣絶者則脉不榮肌肉脣舌者肌肉之本也脉不榮則肌肉軟肌肉軟則舌萎人中滿人中滿則脣反脣反者肉先死甲篤乙死木勝土也○足少陰氣絶則骨枯少陰者冬脉也伏行而濡骨髓者也故骨不濡則肉不能著也骨肉不相親則肉軟却肉軟却故齒長而垢髮無澤髮無澤者骨先死戊篤己死土勝水也○足厥陰氣絶則筋絶厥陰者肝脉也肝者筋之合也筋者聚于陰器而脉絡于舌本也故脉弗榮則筋急筋急則引

舌與卯故脣青舌卷卯縮則筋先死庚篤辛死
金勝木也五陰氣俱絶則目系轉轉則目運目
運者爲志先死志先死則遠一日半死矣六陽
氣絶則陰與陽相離離則腠理發泄絶汗乃出
故旦占夕死夕占旦死經脉十二者伏行分肉
之間深而不見其常見者足太陰過于外踝之
上無所隱故也諸脉之浮而常見者皆絡脉也
六經絡手陽明少陽之大絡起于五指間上合
肘中飲酒者衛氣先行皮膚先充絡脉絡脉先
盛故衛氣已平營氣乃滿而經脉大盛脉之卒

然動者皆邪氣居之留于本末不動則熱不堅則陷且空不與衆同是以知其何脉之動也雷公曰何以知經脉之與絡脉異也黃帝曰經脉者常不可見也其虛實也以氣口知之脉之見者皆絡脉也雷公曰細子無以明其然也黃帝曰諸絡脉皆不能經大節之間必行絶道而出入復合于皮中其會皆見于外故諸刺絡脉者必刺其結上甚血者雖無結急取之以寫其邪而出其血留之發爲痺也凡診絡脉脉色青則寒且痛赤則有熱胃中寒手魚之絡多青矣胃

中有熱魚際絡赤其暴黑者留久痺也其有赤
有黑有青者寒熱氣也其青短者少氣也凡刺
寒熱者皆多血絡必間日而一取之血盡而止
乃調其虛實其小而短者少氣甚者寫之則悶
悶甚則仆不得言悶則急坐之也○手太陰之
別名曰列缺起于腕上分間並太陰之經直入
掌中散入于魚際其病實則手銳掌熱虛則欠
㰦小便遺數取之去腕半寸別走陽明也○手
少陰之別名曰通里去腕一寸半別而上行循
經入于心中繫舌本屬目系其實則支膈虛則

不能言取之掌後一寸别走太陽也手心主之
别名曰内關去腕二寸出于兩筋之間循經以
上繫于心包絡心系實則心痛虚則爲頭強取
之兩筋間也○手太陽之别名曰支正上腕五
寸内注少陰其别者上走肘絡肩髃實則節弛
肘廢虚則生疣小者如指痂疥取之所别也○
手陽明之别名曰偏歷去腕三寸别入太陰其
别者上循臂乘肩髃上曲頰偏齒其别者入耳
合于宗脉實則齲聾虚則齒寒痺隔取之所别
也○手少陽之别名曰外關去腕二寸外遶臂

注胷中合心主病實則肘攣虛則不收取之所
別也○足太陽之別名曰飛陽去踝七寸別走
少陰實則鼽窒頭背痛虛則鼽衄取之所別也
○足少陽之別名曰光明去踝五寸別走厥陰
下絡足跗實則厥虛則痿躄坐不能起取之所
別也○足陽明之別名曰豐隆去踝八寸別走
太陰其別者循脛骨外廉上絡頭項合諸經之
氣下絡喉嗌其病氣逆則喉痺瘁瘖實則狂癲
虛則足不收脛枯取之所別也○足太陰之別
名曰公孫去本節之後一寸別走陽明其別者

入絡腸胃厥氣上逆則霍亂實則腸中切痛虛
則鼓脹取之所別也○足少陰之別名曰大鍾
當踝後繞跟別走太陽其別者并經上走于心
包下外貫腰脊其病氣逆則煩悶實則閉癃虛
則腰痛取之所別者也○足厥陰之別名曰蠡
溝去內踝五寸別走少陽其別者經脛上睪結
于莖其病氣逆則睪腫卒疝實則挺長虛則暴
癢取之所別也○任脉之別名曰尾翳下鳩尾
散于腹實則腹皮痛虛則癢搔取之所別也○
督脉之別名曰長強挾膂上項散頭上下當肩

脚左右别走太陽入貫膂實則脊彊虚則頭重高揺之挾脊之有過者取之所别也○脾之大絡名曰大包出淵腋下三寸布胷脇實則身盡痛虚則百節盡皆縱此脉若羅絡之血者皆取之脾之大絡脉也凡此十五絡者實則必見虚則必下視之不見求之上下人經不同絡脉異所别也

膂音務䐃之労切髀音革骭音旱憺憺音淡邪與斜同焞焞土渾切肒音由

○經别第十一

黃帝問于岐伯曰余聞人之合于天道也內有五藏以應五音五色五時五味五位也外有六府以應六律六律建陰陽諸經而合之十二月十二辰十二節十二經水十二時十二經脉者此五藏六府之所以應天道夫十二經脉者人之所以生病之所以成人之所以治病之所以起學之所始工之所止也粗之所易上之所難也請問其離合出入奈何岐伯稽首再拜曰明乎哉問也此粗之所過上之所息也請卒言之足太陽之正別入于膕中其一道下尻五寸別

入于肛屬于膀胱散之腎循膂當心入散直者
從膂上出于項復屬于太陽此爲一經也○足
少陰之正至膕中别走太陽而合上至腎當十
四顀出屬帶脉直者繫舌本復出于項合于太
陽此爲一合成以諸陰之别皆爲正也○足少
陽之正繞髀入毛際合于厥陰别者入季脇之
間循胷裏屬膽散之上肝貫心以上挾咽出頤
頷中散于面繫目系合少陽于外眥也○足厥
陰之正别跗上上至毛際合于少陽與别俱行
此爲二合也○足陽明之正上至髀入于腹裏

屬胃散之脾上通于心上循咽出于口上頞䪼
還繫目系合于陽明也○足太陰之正上至髀
合于陽明與別俱行上結于咽貫舌中此爲三
合也○手太陽之正指地別于肩解入腋走心
繫小腸也○手少陰之正別入于淵腋兩筋之
間屬于心上走喉嚨出于面合目内眥此爲四
合也○手少陽之正指天別于巔入缺盆下走
三焦散于胷中也○手心主之正別下淵腋三
寸入胷中別屬三焦出循喉嚨出耳後合少陽
完骨之下此爲五合也○手陽明之正從手循

膺乳別于肩髃入柱骨下走大腸屬于肺上循喉嚨出缺盆合于陽明也〇手太陰之正別入淵腋少陰之前入走肺散之太陽上出缺盆循喉嚨復合陽明此六合也

尻枯毛切 肛許公切 頤頷上以之切下戶上切

〇經水第十二

黃帝問于岐伯曰經脉十二者外合于十二經水而內屬于五藏六府夫十二經水者其有大小深淺廣狹遠近各不同五藏六府之高下小大受穀之多少亦不等相應奈何夫經水者受

水而行之五藏者合神氣魂魄而藏之六府者受穀而行之受氣而揚之經脉者受血而營之合而以治奈何刺之深淺灸之壯數可得聞乎岐伯答曰善哉問也天至高不可度地至廣不可量此之謂也且夫人生于天地之間六合之內此天之高地之廣也非人力之所能度量而至也若夫八尺之士皮肉在此外可度量切循而得之其死可解剖而視之其藏之堅脆府之大小穀之多少脉之長短血之清濁氣之多少十二經之多血少氣與其少血多氣與其皆多

血氣與其皆少血氣皆有大數其治以針艾各
調其經氣固其常有合乎黃帝曰余聞之快于
耳不解于心願卒聞之岐伯答曰此人之所以
參天地而應陰陽也不可不察
足太陽外合于清水內屬于膀胱而通水道
焉
足少陽外合于渭水內屬于膽
足陽明外合于海水內屬于胃
足太陰外合于湖水內屬于脾
足少陰外合于汝水內屬于腎

足厥陰外合于澠水内屬于肝
手太陽外合于淮水内屬于小腸而水道出
焉
手少陽外合于漯水内屬于三焦
手陽明外合于江水内屬于大腸
手太陰外合于河水内屬于肺
手少陰外合于濟水内屬于心
手心主外合于漳水内屬于心包
凡此五藏六府十二經水者外有源泉而内有
所稟此皆内外相貫如環無端人經亦然故天

爲陽地爲陰腰以上爲天腰以下爲地故海以北者爲陰湖以北者爲陰中之陰漳以南者爲陽河以北至漳者爲陽中之陰漯以南至江者爲陽中之太陽此一隅之陰陽也所以人與天地相參也黄帝曰夫經水之應經脉也其遠近淺深水血之多少各不同合而以刺之奈何岐伯荅曰足陽明五藏六府之海也其脉大血多氣盛熱壯刺此者不深弗散不留不寫也足陽明刺深六分留十呼足太陽深五分留七呼足少陽深四分留五呼足太陰深三分留四呼足

少陰深二分留三呼足厥陰深一分留二呼手之陰陽其受氣之道近其氣之來疾其刺深者皆無過二分其留皆無過一呼其少長大小肥瘦以心撩之命曰法天之常灸之亦然灸而過此者得惡火則骨枯脉濇刺而過此者則脫氣

黃帝曰夫經脉之小大血之多少膚之厚薄肉之堅脆及膕之大小可爲量度乎岐伯荅曰其可爲度量者取其中度也不甚脫肉而血氣不衰也若夫度之人痟瘦而形肉脫者惡可以度量刺乎審切循捫按視其寒温盛衰而調之是

謂因適而爲之眞也

澠弥善切漯通合切以心撩之一本作以意料之

新刊黄帝内經靈樞集註卷之三

靈樞　三　廿八

新刊黃帝内經靈樞集註卷之四

○經筋第十三

足太陽之筋起于足小指上結于踝邪上結于膝其下循足外側結于踵上循跟結於膕其別者結于踹外上膕中内廉與膕中并上結于臀上挾脊上項其支者別入結於舌本其直者結于枕骨上頭下顔結于鼻其支者爲目上網下結于頄其支者從腋後外廉結于肩髃其支者入腋下上出缺盆上結于完骨其支者出缺盆邪上出于頄其病小指支跟腫痛膕攣脊反折

項筋急肩不舉腋支缺盆中紐痛不可左右搖
治在燔針劫刺以知爲數以痛爲輸名曰仲春
痹 足少陽之筋起于小指次指上結外踝上
循脛外廉結于膝外廉其支者别起外輔骨上
走髀前者結于伏兔之上後者結于尻其直者
上乘眇季脇上走腋前廉繫于膺乳結于缺盆
直者上出腋貫缺盆出太陽之前循耳後上額
角交巔上下走頷上結于頄支者結于目眥爲
外維其病小指次指支轉筋引膝外轉筋膝不
可屈伸膕筋急前引髀後引尻即上乘眇季脇

痛上引缺盆膺乳頸維筋急從左之右右目不
開上過右角並蹻脉而行左絡于右故傷左角
右足不用命曰維筋相交治在燔針刼刺以知
爲數以痛爲輸名曰孟春痹也　足陽明之筋
起于中三指結于跗上邪外上加于輔骨上結
于膝外廉直上結于髀樞上循脇屬脊其直者
上循骭結于缺其支者結于外輔骨合少陽其
直者上循伏兔上結于髀聚于陰器上腹而布
至缺盆而結上頸上挾口合于頄下結于鼻上
合于太陽太陽爲目上網陽明爲目下網其支

者從頰結于耳前其病足中指支脛轉筋脚跳
堅伏兔轉筋髀前腫㿗疝腹筋急引缺盆及頰
卒口僻急者目不合熱則筋縱目不開頰筋有
寒則急引頰移口有熱則筋弛縱緩不勝收故
僻治之以馬膏膏其急者以白酒和桂以塗其
緩者以桑鉤鉤之即以生桑灰置之坎中高下
以坐等以膏熨急頰且飲美酒噉美炙肉不飲
酒者自強也爲之三拊而已治在燔針刼刺以
知爲數以痛爲輸名曰季春痺也　足太陰之
筋起于大指之端內側上結于內踝其直者絡

于膝内輔骨上循陰股結于髀聚于陰器上腹結于臍循腹裏結于肋散于胸中其内者著于脊其病足大指支内踝痛轉筋痛膝内輔骨痛陰股引髀而痛陰器紐痛下引臍兩脇痛引膺中脊内痛治在燔針刼刺以知為數以痛為輸命曰孟秋痺也

足少陰之筋起于小指之下並足太陰之筋邪走内踝之下結于踵與太陽之筋合而上結于内輔之下並太陰之筋而上循陰股結于陰器循脊内挾膂上至項結于枕骨與足太陽之筋合其病足下轉筋及所過而

筋者皆痛及轉筋病在此者主癇瘛及痙在外
者不能俛在內者不能仰故陽病者腰反折不
能俛陰病者不能仰治在燔針劫刺以知為數
以痛為輸在內者熨引飲藥此筋折紐紐發數
甚者死不治名曰仲秋痹也　足厥陰之筋起
于大指之上上結于內踝之前上循脛上結內
輔之下上循陰股結于陰器絡諸筋其病足大
指支內踝之前痛內輔痛陰股痛轉筋陰器不
用傷於內則不起傷於寒則陰縮入傷於熱則
縱挺不收治在行水清陰氣其病轉筋者治在

燔針刼刺以知爲數以痛爲輸命曰季秋痺也
手太陽之筋起于小指之上結于腕上循臂
内廉結于肘内鋭骨之後彈之應小指之上入
結于腋下其支者後走腋後廉上繞肩胛循頸
出走太陽之前結于耳後完骨其支者入耳中
直者出耳上下結于頷上屬目外眥其病小指
支肘内鋭骨後廉痛循臂陰入腋下腋下痛腋
後廉痛繞肩胛引頸而痛應耳中鳴痛引頷目
瞑良久乃得視頸筋急則爲筋瘻頸腫寒熱在
頸者治在燔針刼刺之以知爲數以痛爲輸其

爲腫者復而銳之本支者上曲牙循耳前屬目外眥上頷結于角其痛當所過者支轉筋治在燔針刼刺以知爲數以痛爲輸名曰仲夏痺也

手少陽之筋起于小指次指之端結于腕上循臂結于肘上繞臑外廉上肩走頸合手太陽其支者當曲頰入繫舌本其支者上曲牙循耳前屬目外眥上乘頷結于角其病當所過者即支轉筋舌卷治在燔針刼刺以知爲數以痛爲輸名曰季夏痺也

手陽明之筋起于大指次指之端結于腕上循臂上結于肘外上臑結于

髃其支者繞肩胛挾脊直者從肩髃上頸其支者上頰結于頄直者上出手太陽之前上左角絡頭下右頷其病當所過者支痛及轉筋肩不舉頸不可左右視治在燔針劫刺以知爲數以痛爲輸名曰孟夏痺也　手太陰之筋起于大指之上循指上行結于魚後行寸口外側上循臂結肘中上臑內廉入腋下出缺盆結肩前髃上結缺盆下結胷裏散貫賁合賁下抵季脇其病當所過者支轉筋痛甚成息賁脇急吐血治在燔針劫刺以知爲數以痛爲輸名曰仲冬痺

也　手心主之筋起于中指與太陰之筋並行
結于肘内廉上臂陰結腋下下散前後挾脇其
支者入腋散胷中結于臂其病當所過者支轉
筋前及胷痛息賁治在燔針刼刺以知爲數以
痛爲輸名曰孟冬痺也　手少陰之筋起于小
指之内側結于銳骨上結肘内廉上入腋交太
陰挾乳裏結于胷中循臂下繫于臍其病内急
心承伏梁下爲肘網其病當所過者支轉筋筋
痛治在燔針刼刺以知爲數以痛爲輸其成伏
梁唾血膿者死不治經筋之病寒則反折筋急

熱則筋弛縱不收陰痿不用陽急則反折陰急則俛不伸焠刺者刺寒急也熱則筋縱不收無用燔針名曰季冬痹也　足之陽明手之太陽筋急則口目爲噼眥急不能卒視治皆如右方也

頄音求

○骨度第十四

黄帝問于伯高曰脉度言經脉之長短何以立之伯高曰先度其骨節之大小廣狹長短而脉度定矣黄帝曰願聞衆人之度人長七尺五寸者其骨節之大小長短各幾何伯高曰頭之大

骨圍二尺六寸胷圍四尺五寸腰圍四尺二寸髪所覆者顱至項尺二寸髪以下至頤長一尺君子終折結喉以下至缺盆中長四寸缺盆以下至髃骬長九寸過則肺大不滿則肺小髃骬以下至天樞長八寸過則胃大不及則胃小天樞以下至横骨長六寸半過則迴腸廣長不滿則狹短横骨長六寸半横骨上廉以下至内輔之上廉長一尺八寸内輔之上廉以下至下廉長三寸半内輔下廉下至内踝長一尺三寸内踝以下至地長三寸膝膕以下至跗屬長一尺

六寸跗屬以下至地長三寸故骨圍大則大過小則不及角以下至柱骨長一尺行腋中不見者長四寸腋以下至季脇長一尺二寸季脇以下至髀樞長六寸髀樞以下至膝中長一尺九寸膝以下至外踝長一尺六寸外踝以下至京骨長三寸京骨以下至地長一寸耳後當完骨者廣九寸耳前當耳門者廣一尺三寸兩顴之間相去七寸兩乳之間廣九寸半兩髀之間廣六寸半足長一尺二寸廣四寸半肩至肘長一尺七寸肘至腕長一尺二寸半腕至中指本節

長四寸本節至其末長四寸半項髮以下至背
骨長二寸半膂骨以下至尾骶二十一節長三
尺上節長一寸四分分之一奇分在下故上七
節至于膂骨九寸八分分之七此衆人骨之度
也所以立經脉之長短也是故視其經脉之在
於身也其見浮而堅其見明而大者多血細而
沉者多氣也
髃骬上許鶴切又許伐切下云居切髀步米切股也

○五十營第十五

黃帝曰余願聞五十營柰何岐伯荅曰天周二

十八宿宿三十六分人氣行一周千八分日行二十八宿人經脉上下左右前後二十八脉周身十六丈二尺以應二十八宿漏水下百刻以分晝夜故人一呼脉再動氣行三寸一吸脉亦再動氣行三寸呼吸定息氣行六寸十息氣行六尺日行二分二百七十息氣行十六丈二尺氣行交通于中一周于身下水二刻日行二十五分五百四十息氣行再周于身下水四刻日行四十分二千七百息氣行十周于身下水二十刻日行五宿二十分一萬三千五百息氣行

五十營于身水下百刻日行二十八宿漏水皆
盡脉終矣所謂交通者并行一數也故五十營
備得盡天地之壽矣凡行八百一十丈也

○營氣第十六

黄帝曰營氣之道內穀爲寶穀入于胃乃傳之
肺流溢于中布散于外精專者行于經隧常營
無已終而復始是謂天地之紀故氣從太陰出
注手陽明上行注足陽明下行至跗上注大指
間與太陰合上行抵髀從脾注心中循手少陰
出腋下臂注小指合手太陽上行乘腋出䪼內

注目內眥上巔下項合足太陽循脊下尻下行
注小指之端循足心注足少陰上行注腎從腎
注心外散于胷中循心主脉出腋下臂出兩筋
之間入掌中出中指之端還注小指次指之端
合手少陽上行注膻中散于三焦從三焦注膽
出脇注足少陽下行至跗上復從跗注大指間
合足厥陰上行至肝從肝上注肺上循喉嚨入
頏顙之竅究于畜門其支別者上額循巔下項
中循脊入骶是督脉也絡陰器上過毛中入臍
中上循腹裏入缺盆下注肺中復出太陰此營

氣之所行也逆順之常也
濁者一本作澤滑利也入骶音氐

○脈度第十七

黄帝曰願聞脈度岐伯答曰手之六陽從手至頭長五尺五六三丈手之六陰從手至胷中三尺五寸三六一丈八尺五六三尺合二丈一尺足之六陽從足上至頭八尺六八四丈八尺足之六陰從足至胷中六尺五寸六六三丈六尺五六三尺合三丈九尺蹻脈從足至目七尺五寸二七一丈四尺二五一尺合一丈五尺督脈

任脉各四尺五寸二四八尺二五一尺合九尺凡都合一十六丈二尺此氣之大經隧也經脈爲裏支而横者爲絡絡之别者爲孫盛而血者疾誅之盛者寫之虚者飲藥以補之五藏常内閱于上七竅也故肺氣通於鼻肺和則鼻能知臭香矣心氣通于舌心和則舌能知五味矣肝氣通于目肝和則目能辨五色矣脾氣通于口脾和則口能知五穀矣腎氣通于耳腎和則耳能聞五音矣五藏不和則七竅不通六府不和則留爲癰故邪在府則陽脉不和陽脉不和則氣

留之氣留之則陽氣盛矣陽氣大盛則陰不利
陰脉不利則血留之血留之則陰氣盛矣陰
氣大盛則陽氣不能榮也故曰關陽氣大盛則
陰氣弗能榮也故曰格陰陽俱盛不得相榮故
曰關格關格者不得盡期而死也黄帝曰蹻脉
安起安止何氣榮水歧伯答曰蹻脉者少陰之
別起于然骨之後上内踝之上直上循陰股入
陰上循胷裏入缺盆上出人迎之前入頄屬目
内眥合于太陽陽蹻而上行氣并相還則爲濡
目氣不榮則目不合黄帝曰氣獨行五藏不榮

六府何也岐伯答曰氣之不得無行也如水之流如日月之行不休故陰脉榮其藏陽脉榮其府如環之無端莫知其紀終而復始其流溢之氣內溉藏府外濡腠理黃帝曰蹻脉有陰陽何脉當其數岐伯答曰男子數其陽女子數其陰當數者爲經其不當數者爲絡也

蹻脉舉略切又音喬經隧音遂

〇營衛生會第十八

黃帝問于岐伯曰人焉受氣陰陽焉會何氣爲營何氣爲衛營安從生衛于焉會老壯不同氣

陰陽異位願聞其會岐伯答曰人受氣于穀穀入于胃以傳與肺五藏六府皆以受氣其清者爲營濁者爲衛營在脉中衛在脉外營周不休五十而復大會陰陽相貫如環無端衛氣行于陰二十五度行于陽二十五度分爲晝夜故氣至陽而起至陰而止故曰日中而陽隴爲重陽夜半而陰隴爲重陰故太陰主内太陽主外各行二十五度分爲晝夜夜半爲陰隴夜半後而爲陰衰平旦陰盡而陽受氣矣日中而陽隴日西而陽衰日入陽盡而陰受氣矣夜半而大會

萬民皆卧命曰合陰平旦陰盡而陽受氣如是無已與天地同紀黄帝曰老人之不夜瞑者何氣使然少壯之人不晝瞑者何氣使然岐伯答曰壯者之氣血盛其肌肉滑氣道通營衛之行不失其常故晝精而夜瞑老者之氣血衰其肌肉枯氣道澁五藏之氣相　其營氣衰少而衛氣内伐故晝不精夜不瞑黄帝曰願聞營衛之所行皆何道從來岐伯答曰營出于中焦衛出于下焦黄帝曰願聞三焦之所出岐伯答曰上焦出于胃上口並咽以上貫膈而布胸中走腋

循太陰之分而行還至陽明上至舌下足陽明常與營俱行于陽二十五度行于陰亦二十五度一周也故五十度而復太會于手太陰矣黃帝曰人有熱飲食下胃其氣未定汗則出或出于面或出于背或出于身半其不循衛氣之道而出何也岐伯曰此外傷于風內開腠理毛蒸理泄衛氣走之固不得循其道此氣慓悍滑疾見開而出故不得從其道故命曰漏泄黃帝曰願聞中焦之所出岐伯答曰中焦亦並胃中出上焦之後此所受氣者泌糟粕蒸津液化其精

微上注于肺脉乃化而爲血以奉生身莫貴于此故獨得行于經隧命曰營氣黄帝曰夫血之與氣異名同類何謂也岐伯答曰營衛者精氣也血者神氣也故血之與氣異名同類焉故奪血者無汗奪汗者無血故人生有兩死而無兩生黄帝曰願聞下焦之所出岐伯答曰下焦者别迴腸注于膀胱而滲入焉故水穀者常并居于胃中成糟粕而俱下于大腸而成下焦滲而俱下濟泌别汁循下焦而滲入膀胱焉黄帝曰人飲酒酒亦入胃穀未熟而小便獨先下何也

岐伯答曰酒者熟穀之液也其氣悍以清故後穀而入先穀而液出焉黄帝曰善余聞上焦如霧中焦如漚下焦如瀆此之謂也

㊀四時氣第十九

黄帝問于岐伯曰夫四時之氣各不同形百病之起皆有所生灸刺之道何者爲定（一本作實）岐伯答曰四時之氣各有所在灸刺之道得氣穴爲定故春取經血脉分肉之間甚者深刺之間者淺刺之夏取盛經孫絡取分間絶皮膚秋取經腧邪在府取之合冬取井滎必深以留之

汗不出爲五十九痏風㽷膚脹爲五十七痏取
皮膚之血者盡取之飧泄補三陰之上補陰陵
泉皆久留之熱行乃止轉筋于陽治其陽轉筋
于陰治其陰皆卒刺之徒㽷先取環谷下三寸
以鈹針針之已刺而筩之而內之入而復之以
盡其㽷必堅來緩則煩悗來急則安靜間日一
刺之㽷盡乃止飲閉藥方刺之時徒飲之方飲
無食方食無飲無食他食百三十五日著痺不
去久寒不已卒取其三里骨爲幹腸中不便取
三里盛瀉之虛補之癘風者素刺其腫上已刺

以鑱針針其處按出其惡氣腫盡乃止常食方
食無食他食腹中常鳴氣上衝胸喘不能久立
邪在大腸刺肓之原巨虛上廉三里小腹控睾
引腰脊上衝心邪在小腸者連睾系屬于脊貫
肝肺絡心系氣盛則厥逆上衝腸胃燻肝散于
肓結于臍故取之肓原以散之刺太陰以予之
取厥陰以下之取巨虛下廉以去之按其所過
之經以調之善嘔嘔有苦長大息心中憺憺恐
人將捕之邪在膽逆在胃膽液泄則口苦胃氣
逆則嘔苦故曰嘔膽取三里以下胃氣逆則刺

少陽血絡以閉膽逆却調其虛實以去其邪飲食不下膈塞不通邪在胃脘在上脘則刺抑而下之在下脘則散而去之小腹痛腫不得小便邪在三焦約取之太陽大絡視其絡脉與厥陰小絡結而血者腫上及胃脘取三里觀其色察其以知其散復者視其目色以知病之存亡也一其形聽其動靜者持氣口人迎以視其脉堅且盛且滑者病日進脉軟者病將下諸經實者病三日已氣口候陰人迎候陽也

風㽷尸類切　筩音同　著痹上直略切下音閉　鋭鍼上余恵切芒也

黃帝素問靈樞集註卷之四

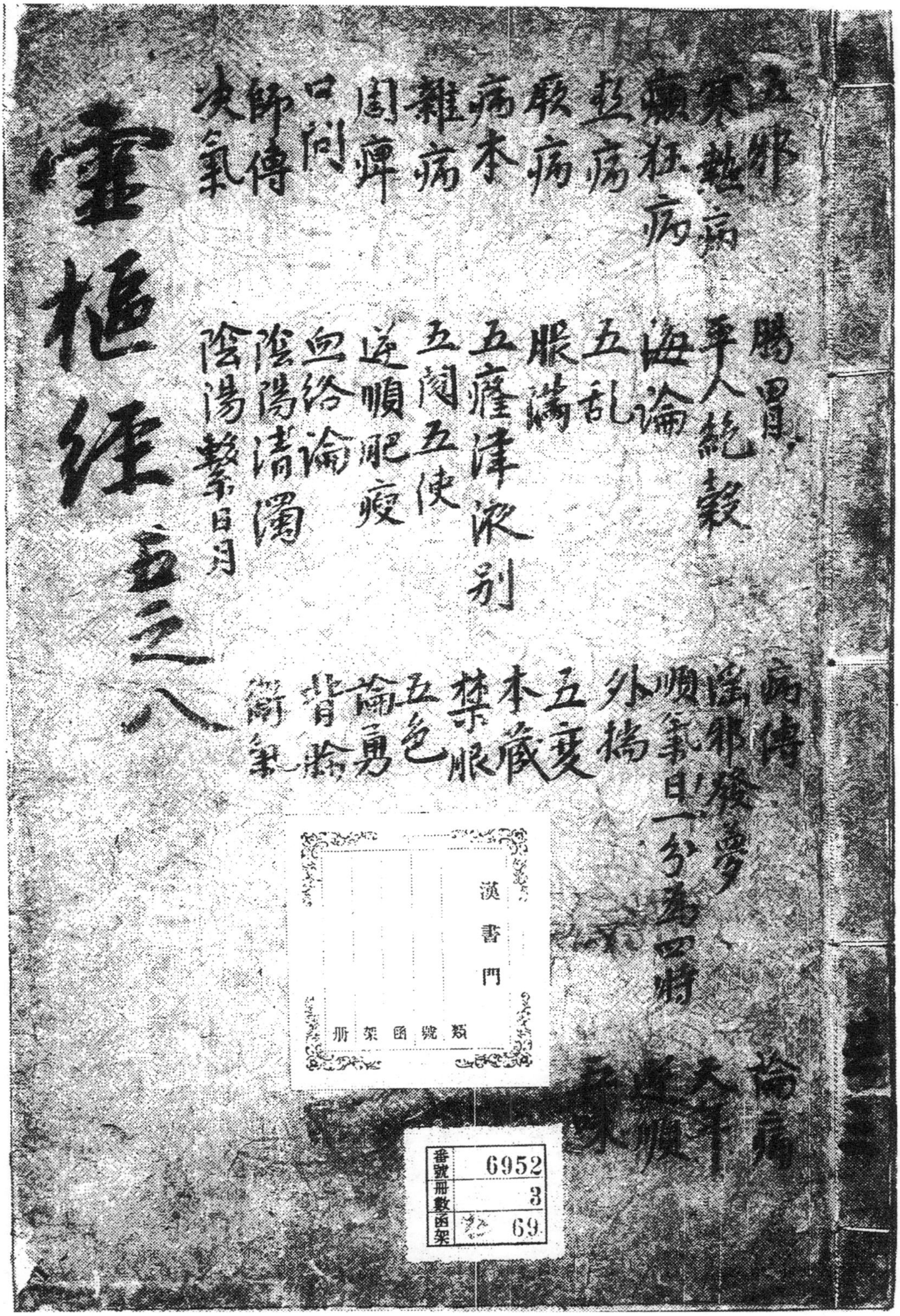

朝鮮銅活字（乙亥字）本《靈樞》

黄帝素問靈樞集註卷之五

五邪第二十

邪在肺則病皮膚痛寒熱上氣喘汗出欬動肩背取之膺中外腧背三節五藏一本作五顀又五節之傍以手疾按之快然乃刺之取之缺盆中以越之

邪在肝則兩脇中痛寒中惡血在內行善掣節時脚腫取之行間以引脇下補三里以溫胃中取血脉以散惡血取耳間青脉以去其掣

邪在脾胃則病肌肉痛陽氣有餘陰氣不足則熱中善飢陽氣不足陰氣有餘則寒中腸鳴腹痛陰

陽俱有餘若俱不足則有寒有熱皆調于三里邪在腎則病骨痛陰痺陰痺者按之而不得腹脹腰痛大便難肩背頸項痛時眩取之湧泉崐崙視有血者盡取之邪在心則病心痛喜悲時眩仆視有餘不足而調之其輸也

顴 音權

○寒熱病第二十一

皮寒熱者不可附席毛髮焦鼻槁腊不得汗取三陽之絡以補手太陰肌寒熱者肌痛毛髮焦而唇槁腊不得汗取三陽于下以去其血者補足太陰以出其汗骨寒熱者病無所安汗注不

休齒未槁取其少陰于陰股之絡齒已槁死不治骨厥亦然骨痺舉節不用而痛汗注煩心取三陰一本作三陽之經補之身有所傷血出多及中風寒若有所墮墜四支懈惰不收名曰體惰取其小腹臍下三結交三結交者陽明大陰也臍下三寸關元也厥痺者厥氣上及腹取陰陽之絡視主病也寫陽補陰經也頸側之動脉人迎人迎足陽明也在嬰筋之前嬰筋之後手陽明也名曰扶突次脉足少陽脉也名曰天牖次脉足大陽也名曰天柱腋下動脉臂大陰也名曰

天府陽迎頭痛胷滿不得息取之人迎暴瘖氣鞕取扶突與舌本出血暴聾氣蒙耳目不明取天牖暴攣癎眩足不任身取天柱暴癉內逆肝肺相搏血溢鼻口取天府此爲大牖五部臂陽明有入頄徧齒者名曰大迎下齒齲取之臂惡寒補之不惡寒寫之足大陽有入頄徧齒者名曰角孫上齒齲取之在鼻與頄前方病之時其脉盛盛則寫之虛則補之一曰取之出鼻外足陽明有挾鼻入于面者名曰懸顱屬口對入繫目本視有過者取之損有餘益不足反者益其

足太陽有通項入于腦者正屬目本名曰眼系頭目苦痛取之在項中兩筋間入腦乃别陰蹻陽蹻陰陽相交陽入陰陰出陽交于目鋭眥陽氣盛則瞋目陰氣盛則瞑目熱厥取足太陰少陽皆留之寒厥取足陽明少陰于足皆留之舌縱涎下煩悗取足少陰振寒洒洒鼓頷不得汗出腹脹煩悗取手太陰刺虛者刺其去也刺實者刺其來也春取絡脉夏取分腠秋取氣口冬取經輸凡此四時各以時爲齊絡脉治皮膚分腠治肌肉氣口治筋脉經輸治骨髓五藏身有

五部伏兔一腓二腓者腨也背三五藏之腧四項五此五部有癰疽者死病始手臂者先取手陽明大陰而汗出病始頭首者先取項大陽而汗出病始足脛者先取足陽明而汗出臂大陰可汗出足陽明可汗出故取陰而汗出甚者止之于陽取陽而汗出甚者止之於陰凡刺之害中而不去則精泄不中而去則致氣精泄則病甚而恇致氣則生為癰疽也

槁腊下思亦切齲丘禹切齒蠹也頄逵仇二音面顴也悗音悶腓音肥

○癲狂第二十二

目眥外決于面者爲鋭眥在内近鼻者爲内眥上爲外眥下爲内眥癲疾始生先不樂頭重痛視舉目赤甚作極已而煩心候之于顔取手大陽陽明大陰血變而止癲疾始作而引口啼呼喘悸者候之手陽明大陽左強者攻其右右強者攻其左血變而止癲疾始作先反僵因而脊痛候之足大陽陽明大陰手大陽血變而止治癲疾者常與之居察其所當取之處病至視之有過者寫之置其血于瓠壺之中至其發時血

獨動矣不動灸窮骨二十壯窮骨者骶骨也骨
癲疾者顑齒諸腧分肉皆滿而骨居汗出煩悗
嘔多沃沫氣下泄不治筋癲疾者身倦攣急大
刺項大經之大杼脈嘔多沃沫氣下泄不治脈
癲疾者暴仆四肢之脈皆脹而縱脈滿盡刺之
出血不滿灸之挾項大陽灸帶脈于腰相去三
寸諸分肉本輸嘔多沃沫氣下泄不治癲疾者
疾發如狂者死不治狂始生先自悲也喜忘苦
怒善恐者得之憂飢治之取手大陰陽明血變
而止及取足大陰陽明狂始發少卧不飢自高

賢也自辯智也自尊貴也善罵詈日夜不休治之取手陽明大陽大陰舌下少陰視之盛者皆取之不盛釋之也狂言驚善笑好歌樂妄行不休者得之大恐治之取手陽明大陽大陰狂自妄見耳妄聞善呼者少氣之所生也治之取手大陽大陰陽明足大陰頭兩顑狂者多食善見鬼神善笑而不發于外者得之有所大喜治之取足大陰大陽陽明後取手大陰大陽陽明狂而新發未應如此者先取曲泉左右動脉及盛者見血有頃已不已以法取之灸骨骶二十壯

風逆暴四肢腫身漯漯唏然時寒飢則煩飽則善變取手太陰表裏足少陰陽明之經肉清取榮骨清取井經也厥逆爲病也足暴清胷若將裂腸若將以刀切之煩而不能食脉大小皆濇煖取足少陰清取足陽明清則補之溫則寫之厥逆腹脹滿腸鳴胷滿不得息取之下胷二脇欬而動手者與背腧以手按之立快者是也內閉不得溲刺足少陰大陽與骶上以長針氣逆則取其大陰陽明厥陰甚取少陰陽明動者之經也少氣身漯漯也言吸吸也骨痠體重懈惰

不能動補足少陰短氣息短不屬動作氣索補足少陰去血絡也

倦攣上音權顑口感切飢[illegible]起行唏許几切笑也

○熱病第二十三

偏枯身偏不用而痛言不變志不亂病在分腠之間巨針取之益其不足損其有餘乃可復也痱之爲病也身無痛者四肢不收智亂不甚其言微知可治甚則不能言不可治也病先起于陽後入于陰者先取其陽後取其陰浮而取之熱病三日而氣口靜人迎躁者取之諸陽五十

九刺以寫其熱而出其汗實其陰以補其不足
者身熱甚陰陽皆静者勿刺也其可刺者急取
之不汗出則泄所謂勿刺者有死徵也熱病七
日八日脉口動喘而短（一本作弦）者急刺之汗且自
出淺刺手大指間熱病七日八日脉微小病者
溲血口中乾一日半而死脉代者一日死熱病
已得汗出而脉尚躁喘且復熱勿刺膚喘甚者
死熱病七日八日脉不躁躁不散數後三日中
有汗三日不汗四日死未曾汗者勿腠刺之熱
病先膚痛窒鼻充面取之皮以第一針五十九

苛軫鼻索皮于肺不得索之火火者心也熱病先身濇倚而熱煩悗乾脣口嗌取之皮以第一針五十九膚脹口乾寒汗出索脉于心不得索之水水者腎也熱病嗌乾多飲善驚卧不能起取之膚肉以第六針五十九目眥青索肉于脾不得索之木木者肝也熱病面青腦痛手足躁取之筋間以第四針于四逆筋躄目浸索筋于肝不得索之金金者肺也熱病數驚瘈瘲而狂取之脉以第四針急寫有餘者癲疾毛髮去索血于心不得索之水水者腎也熱病身重骨痛

耳聾而好瞑取之骨以第四針五十九刺骨病
不食齧齒耳青索骨于腎不得索之土土者脾
也熱病不知所痛耳聾不能自收口乾陽熱甚
陰頗有寒者熱在髓死不可治熱病頭痛顳顬
目瘳脉痛善衄厥熱病也取之以第三針視有
餘不足寒熱痔熱病體重腸中熱取之以第四
針於其腧及下諸指間索氣于胃胳得氣也熱
病挾臍急痛胷脇滿取之湧泉與陰陵泉取以
第四針針嗌裏熱病而汗且出及脉順可汗者
取之魚際大淵大都大白寫之則熱去補之則

汗出汗出大甚取内踝上横脉以止之熱病已得汗而脉尚躁盛此陰脉之極也死其得汗而脉静者生熱病者脉尚盛躁而不得汗者此陽脉之極也死脉盛躁得汗静者生熱病不可刺者有九一曰汗不出大顴發赤噦者死二曰泄而腹滿甚者死三曰目不明熱不已者死四曰老人嬰兒熱而腹滿者死五曰汗不出嘔下血者死六曰舌本爛熱不已者死七曰欬而衄汗不出出不至足者死八曰髓熱者死九曰熱而痙者死腰折瘈瘲齒噤齘也凡此九者不可刺

也所謂五十九刺者兩手外內側各三凡十二
痏五指間各一凡八痏足亦如是頭入髮一寸
傍三分各三凡六痏更入髮三寸邊五凡十痏
耳前後口下者各一項中一凡六痏巔上一顖
會一髮際一廉泉一風池二天柱二氣滿胷中
喘息取足太陰大指之端去爪甲如薤葉寒則
留之熱則疾之氣下乃止心疝暴痛取足太陰
厥陰盡刺去其血絡喉痺舌卷口中乾煩心心
痛臂內廉痛不可及頭取手小指次指爪甲下
去端如韭葉目中赤痛從內眥始取之陰蹻風

痙身反折先取足太陽及膕中及血絡出血中有寒取三里癃取之陰蹻及三毛上及血絡出血男子如蠱女子如怚身體腰脊如解不欲飲食先取湧泉見血視跗上盛者盡見血也

痱音肥 痙巨井切 噤巨禁切 齘音介

〇厥病第二十四

厥頭痛面若腫起而煩心取之足陽明太陰厥頭痛頭脉痛心悲善泣視頭動脉反盛者刺盡去血後調足厥陰厥頭痛貞貞頭重而痛寫頭上五行行五先取手少陰後取足少陰厥頭痛

意善忘按之不得取頭面左右動脉後取足太陰厥頭痛項先痛腰脊爲應先取天柱後取足太陽厥頭痛頭痛甚耳前後脉湧有熱（一本云有動脉）寫出其血後取足少陽眞頭痛頭痛甚腦盡痛手足寒至節死不治頭痛不可取于腧者有所擊墮惡血在于內若肉傷痛未已可則刺不可遠取也頭痛不可刺者大痺爲惡日作者可令少愈不可已頭半寒痛先取手少陽陽明後取足少陽陽明厥心痛與背相控善瘈如從後觸其心傴僂者腎心痛也先取京骨崑崙發針不

已取然谷厥心痛腹脹胷滿心尤痛甚胃心痛也取之大都大白厥心痛痛如以錐針刺其心心痛甚者脾心痛也取之然谷大谿厥心痛色蒼蒼如死狀終日不得大息肝心痛也取之行間大衝厥心痛卧若徒居心痛間動作痛益甚色不變肺心痛也取之魚際大淵眞心痛手足凊至節心痛甚旦發夕死夕發旦死心痛不可刺者中有盛聚不可取于腧腸中有蟲瘕及蛟蛕皆不可取以小針心腸痛憹作痛腫聚往來上下行痛有休止腹熱喜渴涎出者是蛟蛕也

以手聚按而堅持之無令得移以大刺針之久
持之虫不動乃出針也恚腹憹痛形中上者耳
聾無聞取耳中耳鳴取耳前動脈耳痛不可刺
者耳中有膿若有乾耵聹耳無聞也耳聾取手
小指次指爪甲上與肉交者先取手後取足耳
鳴取手中指爪甲上左取右右取左先取手後
取足足髀不可舉側而取之在樞合中以員利
針大針不可刺病注下血取曲泉風痹淫濼病
不可已者足如履冰時如入湯中股脛淫濼煩
心頭痛時嘔時悗眩已汗出久則目眩悲以喜

恐短氣不樂不出三年死也

貞貞都耕切憹乃老切悬音烹耵聹上都領切耳中垢也下乃頂切

○病本第二十五

先病而後逆者治其本先逆而後病者治其本先寒而後生病者治其本先病而後生寒者治其本先熱而後生病者治其本先泄而後生他病者治其本必且調之乃治其他病先病而後中滿者治其標先病後泄者治其本先中滿而後煩心者治其本有客氣有同氣大小便不利治其標大小便利治其本病發而有餘本而標

之先治其本後治其標病發而不足標而本之
先治其標後治其本謹詳察間甚以意調之間
者幷行甚爲獨行先小大便不利而後生他病
者治其本也

○雜病第二十六

厥挾脊而痛者至頂頭沉沉然目䀮䀮然腰脊
強取足太陽膕中血絡厥胷滿面腫脣漯漯然
暴言難甚則不能言取足陽明厥氣走喉而不
能言手足凊大便不利取足少陰厥而腹嚮嚮
然多寒氣腹中穀穀便溲難取足太陰嗌乾口

中熱如膠取足少陰膝中痛取犢鼻以員利針
發而間之針大如氂刺膝無疑喉痺不能言取
足陽明能言取手陽明瘧不渴間日而作取足
陽明渴而日作取手陽明齒痛不惡清飲取足
陽明惡清飲取手陽明聾而不痛者取足少陽
聾而痛者取手陽明衄而不止衃血流取足大
陽衃血取手太陽不已刺宛骨下不已刺膕中
出血腰痛痛上寒取足大陽陽明痛上熱取足
厥陰不可以俛仰取足少陽中熱而喘取足少
陰膕中血絡喜怒而不欲食言益小刺足大陰

怒而多言刺足少陽顑痛刺手陽明與顑之盛
脉出血項痛不可俛仰刺足太陽不可以顧刺
手太陽也小腹滿大上走胃至心漸漸身時寒
熱小便不利取足厥陰腹滿大便不利腹大亦
上走胷嗌喘息喝喝然取足少陰腹滿食不化
腹響響然不能太便取足大陰心痛引腰脊欲
嘔取足少陰心痛腹脹嗇嗇然大便不利取足
大陰心痛引背不得息刺足少陰不已取手少
陽心痛引小腹滿上下無常處便溲難刺足厥
陰心痛但短氣不足以息刺手大陰心痛當九

節次之按已刺按之立已不已上下求之得之立已顧痛刺足陽明曲周動脉見血立已不已按人迎于經立已氣逆上刺膺中陷者與下胷動脉腹痛刺臍左右動脉已刺按之立已不已刺氣街已刺按之立已痿厥爲四末束悗乃疾解之日二不仁者十日而知無休病已止歲以草刺鼻嚏嚏而已無息而疾迎引之立已大驚之亦可已

饗響 穀斛

○周痺第二十七

黄帝問于岐伯曰周痺之在身也上下移徙隨

脉其上下左右相應閒不容空願聞此痛在血
脉之中邪將在分肉之間乎何以致是其痛之
移也閒不及下針其慉痛之時不及定治而痛
已止衆何道使然願聞其故岐伯答曰此衆痹
也非周痹也黄帝曰願聞衆痹岐伯對曰此各
在其處更發更止更居更起以右應左以左應
右非能用也更發更休也黄帝曰善刺之奈何
岐伯對曰刺此者痛雖已止必刺其處勿令復
起帝曰善願聞周痹何如岐伯對曰周痹者在
于血脉之中隨脉以上隨脉以下不能左右各

當其所黃帝曰刺之奈何岐伯對曰痛從上下者先刺其下以過一作遏下同之後刺其上以脫之痛從下上者先刺其上以過之後刺其下以脫之黃帝曰善此痛安生何因而有名岐伯對曰風寒濕氣客于外分肉之間迫切而爲沫沫得寒則聚聚則排分肉而分裂也分裂則痛痛則神歸之神歸之則熱熱則痛解痛解則厥厥則他痺發發則如是帝曰善余已得其意矣此內不在藏而外未發于皮獨居分肉之間眞氣不能周故命曰周痺故刺痺者必先切循其下之

六經視其虛實及大絡之血結而不通及虛而脉陷空者而調之熨而通之其瘛堅轉引而行之黃帝曰善余已得其意矣亦得其事也九者經巽之理十二經脉陰陽之病也 慉許六切

（口問第二十八

黃帝閒居辟左右而問于岐伯曰余已聞九針之經論陰陽逆順六經已畢願得口問岐伯避席再拜曰善乎哉問也此先師之所口傳也黃帝曰願聞口傳岐伯荅曰夫百病之始生也皆生于風雨寒暑陰陽喜怒飲食居處大驚卒恐

則血氣分離陰陽破散經絡厥絶脉道不通陰
陽相逆衛氣稽留經脉虛空血氣不次乃失其
常論不在經者請道其方黄帝曰人之欠者何
氣使然岐伯荅曰衛氣晝日行于陽夜半則行
于陰陰者主夜夜者卧陽者主上陰者主下故
陰氣積于下陽氣未盡陽引而上陰引而下陰
陽相引故數欠陽氣盡陰氣盛則目瞑陰氣盡
而陽氣盛則寤矣寫足少陰補足太陽黄帝曰
人之噦者何氣使然岐伯曰穀入于胃胃氣上
注于肺今有故寒氣與新穀氣俱還入于胃新

故相亂眞邪相攻氣并相逆復出于胃故爲噦補手太陰寫足少陰黃帝曰人之唏者何氣使然岐伯曰此陰氣盛而陽氣虛陰氣疾而陽氣徐陰氣盛而陽氣絶故爲唏補足太陽寫足少陰黃帝曰人之振寒者何氣使然岐伯曰寒氣客于皮膚陰氣盛陽氣虛故爲振寒寒慄補諸陽黃帝曰人之噫者何氣使然岐伯曰寒氣客于胃厥逆從下上散復出于胃故爲噫補足大陰陽明一曰補眉本也黃帝曰人之嚏者何氣使然岐伯曰陽氣和利滿于心出于鼻故爲嚏

補足大陽榮眉本一曰眉上也黃帝曰人之嚲
者何氣使然岐伯曰胃不實則諸脉虛諸脉虛
則筋脉懈惰筋脉懈惰則行陰用力氣不能復
故爲嚲因其所在補分肉間黃帝曰人之哀而
泣涕出者何氣使然岐伯曰心者五藏六府之
主也目者宗脉之所聚也上液之道也口鼻者
氣之門戶也故悲哀愁憂則心動心動則五藏
六府皆搖搖則宗脉感宗脉感則液道開液道
開故泣涕出焉液者所以灌精濡空竅者也故
上液之道開則泣泣不止則液竭液竭則精不

灌精不灌則目無所見矣故命曰奪精補天柱
經挾頸黃帝曰人之大息者何氣使然岐伯曰
憂思則心系急心系急則氣道約約則不利故
大息以伸出之補手少陰心主足少陽留之也
黃帝曰人之涎下者何氣使然岐伯曰飲食者
皆入于胃胃中有熱則蟲動蟲動則胃緩胃緩
則廉泉開故涎下補足少陰黃帝曰人之耳中
鳴者何氣使然岐伯曰耳者宗脉之所聚也故
胃中空則宗脉虛虛則下溜脉有所竭者故耳
鳴補客主人手大指爪甲上與肉交者也黃帝

曰人之自齧舌者何氣使然此厥逆走上脉氣輩至也少陰氣至則齧舌少陽氣至則齧頰陽明氣至則齧脣矣視主病者則補之凡此十二邪者皆奇邪之走空竅者也故邪之所在皆爲不足故上氣不足腦爲之不滿耳爲之苦鳴頭爲之苦傾目爲之瞑中氣不足溲便爲之變腸爲之苦鳴下氣不足則乃爲痿厥心悗補足外踝下留之黃帝曰治之奈何岐伯曰腎主爲欠取足少陰肺主爲噦取手大陰足少陰噫者陰與陽絶故補足太陽瀉足少陰振寒者補諸陽

噫者補足太陰陽明嚏者補足太陽眉本嚲因其所在補分肉間泣出補天柱經俠頸俠頸者頭中分也大息補手少陰心主足少陽留之涎下補足少陰耳鳴補客主人手大指爪甲上與肉交者自齧舌視主病者則補之目眩頭傾補足外踝下留之痿厥心悗刺足大指間上二寸留之一曰足外踝下留之

黃帝素問靈樞集註卷之五

黃帝素問靈樞集註卷之六

○師傳第二十九

黃帝曰余聞先師有所心藏弗著于方余願聞而藏之則而行之上以治民下以治身使百姓無病上下和親德澤下流子孫無憂傳于後世無有終時可得聞乎岐伯曰遠乎哉問也夫治民與自治治彼與治此治小與治大治國與治家未有逆而能治之也夫惟順而已矣順者非獨陰陽脉論氣之逆順也百姓人民皆欲順其志也黃帝曰順之奈何岐伯曰入國問俗入家

問諱上堂問禮臨病人問所便黃帝曰便病人柰何岐伯曰夫中熱消癉則便寒寒中之屬則便熱胃中熱則消穀令人懸心善飢臍以上皮熱腸中熱則出黃如糜臍以下皮寒胃中寒則腹脹腸中寒則腸鳴飧泄胃中寒腸中熱則脹而且泄胃中熱腸中寒則疾飢小腹痛脹黃帝曰胃欲寒飢腸欲熱飲兩者相逆便之柰何且夫王公大人血食之君驕恣從欲輕人而無能禁之禁之則逆其志順之則加其病便之柰何治之何先岐伯曰人之情莫不惡死而樂生告

之以其敗語之以其善導之以其所便開之以其所苦雖有無道之人惡有不聽者乎黃帝曰治之奈何岐伯曰春夏先治其標後治其本秋冬先治其本後治其標黃帝曰便其相逆者柰何岐伯曰便此者食飲衣服亦欲適寒溫寒無凄愴暑無出汗食飲者熱無灼灼寒無滄滄寒溫中適故氣將持乃不致邪僻也黃帝曰本藏以身形支節䐃肉候五藏六府之小大焉今夫王公大人臨朝即位之君而問焉誰可捫循之而後荅乎岐伯曰身形支節者藏府之蓋也非

面部之閱也黃帝曰五藏之氣閱于面者余已
知之矣以肢節知而閱之奈何岐伯曰五藏六
府者肺爲之蓋巨肩陷咽候見其外黃帝曰善
岐伯曰五藏六府心爲之主缺盆爲之道骷骨
有餘以候髑骬黃帝曰善岐伯曰肝者主爲將
使之候外欲知堅固視目小大黃帝曰善岐伯
曰脾者主爲衛使之迎糧視脣舌好惡以知吉
凶黃帝曰善岐伯曰腎者主爲外使之遠聽視
耳好惡以知其性黃帝曰善願聞六府之候岐
伯曰六府者胃爲之海廣骸大頸張胷五穀乃

容鼻隧以長以候大腸脣厚人中長以候小腸目下果大其膽乃橫鼻孔在外膀胱漏泄鼻柱中央起三焦乃約此所以候六府者也上下三等藏安且良矣　便平聲

○決氣第三十

黃帝曰余聞人有精氣津液血脈余意以爲一氣耳今乃辨爲六名余不知其所以然岐伯曰兩神相搏合而成形常先身生是謂精何謂氣岐伯曰上焦開發宣五穀味熏膚充身澤毛若霧露之漑是謂氣何謂津岐伯曰腠理發泄汗

出溱溱是謂津何謂液岐伯曰穀入氣滿淖澤
注于骨骨屬屈伸洩澤補益腦髓皮膚潤澤是
謂液何謂血岐伯曰中焦受氣取汁變化而赤
是謂血何謂脉岐伯曰壅遏營氣令無所避是
謂脉黄帝曰六氣者有餘不足氣之多少腦髓
之虛實血脉之清濁何以知之岐伯曰精脫者
耳聾氣脫者目不明津脫者腠理開汗大泄液
脫者骨屬屈伸不利色夭腦髓消脛痠耳數鳴
血脫者色白夭然不澤其脉空虛此其候也黄
帝曰六氣者貴賤何如岐伯曰六氣者各有部

主也其貴賤善惡可爲常主然五穀與胃爲大
海也　湊音臻

○腸胃第三十一

黃帝問于伯高曰余願聞六府傳穀者腸胃之小大長短受穀之多少奈何伯高曰請盡言之穀所從出入淺深遠近長短之度脣至齒長九分口廣二寸半齒以後至會厭深三寸半大容五合舌重十兩長七寸廣二寸半咽門重十兩廣一寸半至胃長一尺六寸胃紆曲屈伸之長二尺六寸大一尺五寸徑五寸大容三斗五升

小腸後附脊左環迴周疊積其注于迴腸者外附于臍上迴運環十六曲大二寸半徑八分分之少半長三丈三尺迴腸當臍左環迴周葉積而下迴運環反十六曲大四寸徑一寸寸之少半長二丈一尺廣腸傳脊以受迴腸左環葉積上下辟大八寸徑二寸寸之大半長二尺八寸腸胃所入至所出長六丈四寸四分迴曲環反三十二曲也

○平人絶穀第三十二

黄帝曰願聞人之不食七日而死何也伯高曰

臣請言其故胃大一尺五寸徑五寸長二尺六寸横屈受水穀三斗五升其中之穀常留二斗水一斗五升而滿上焦泄氣出其精微慓悍滑疾下焦下漑諸腸小腸大二寸半徑八分分之少半長三丈二尺受穀二斗四升水六升二合合之大半迴腸大四寸徑一寸寸之少半長二丈一尺受穀一斗水七升半廣腸大八寸徑二寸寸之大半長二尺八寸受穀九升三合八分合之一腸胃之長凡五丈八尺四寸受水穀九斗二升一合合之大半此腸胃所受水穀之數

也平人則不然胃滿則腸虛腸滿則胃虛更虛更滿故氣得上下五藏安定血脉和利精神乃居故神者水穀之精氣也故腸胃之中當留穀二斗水一斗五升故平人日再後後二升半一日中五升七日五七三斗五升而留水穀盡矣故平人不食飲七日而死者水穀精氣津液皆盡故也

○海論第三十三

黄帝問于岐伯曰余聞刺法于夫子夫子之所言不離于營衛血氣夫十二經脉者内屬于府

藏外絡于肢節夫子乃合之于四海乎岐伯荅
曰人亦有四海十二經水經水者皆注于海海
有東西南北命曰四海黃帝曰以人應之奈何
岐伯曰人有髓海有血海有氣海有水穀之海
凡此四者以應四海也黃帝曰遠乎哉夫子之
合人天地四海也願聞應之奈何岐伯荅曰必
先明知陰陽表裏滎輸所在四海定矣黃帝曰
定之奈何岐伯曰胃者水穀之海其輸上在氣
街下至三里衝脈者爲十二經之海其輸上在
于大杼下出于巨虛之上下廉膻中者爲氣之

海其輸上在于柱骨之上下前在于人迎腦爲
髓之海其輸上在于其盖下在風府黄帝曰凡
此四海者何利何害何生何敗岐伯曰得順者
生得逆者敗知調者利不知調者害黄帝曰四
海之逆順奈何岐伯曰氣海有餘者氣滿胷中
悗息面赤氣海不足則氣少不足以言血海有
餘則常想其身大怫然不知其所病血海不足
亦常想其身小狹然不知其所病水穀之海有
餘則腹滿水穀之海不足則飢不受穀食髓海
有餘則輕勁多力自過其度髓海不足則腦轉

卷

耳鳴脛痠眩冒目無所見懈怠安卧黃帝曰余已聞逆順調之奈何岐伯曰審守其輸而調其虛實無犯其害順者得復逆者必敗黃帝曰善

○五亂第三十四

黃帝曰經脈十二者別爲五行分爲四時何失而亂何得而治岐伯曰五行有序四時有分相順則治相逆則亂黃帝曰何謂相順岐伯曰經脈十二者以應十二月十二月者分爲四時四時者春秋冬夏其氣各異營衛相隨陰陽已和清濁不相干如是則順之而治黃帝曰何謂逆

而亂岐伯曰清氣在陰濁氣在陽營氣順脉衛
氣逆行清濁相干亂于胸中是謂大悗故氣亂
于心則煩心密嘿俛首靜伏亂于肺則俛仰喘
喝接手以呼亂于腸胃則爲霍亂亂于臂脛則
爲四厥亂于頭則爲厥逆頭重眩仆黃帝曰五
亂者刺之有道乎岐伯曰有道以來有道以去
審知其道是謂身寶黃帝曰善願聞其道岐伯
曰氣在于心者取之手少陰心主之輸氣在于
肺者取之手太陰滎足少陰輸氣在于腸胃者
取之足太陰陽明不下者取之三里氣在于頭

著取之天柱大杼不知取足太陽滎輸氣在于
臂足取之先去血脉後取其陽明少陽之滎輸
黃帝曰補寫奈何岐伯曰徐入徐出謂之導氣
補寫無形謂之同精是非有餘不足也亂氣之
相逆也黃帝曰允乎哉道明乎哉論請著之玉
版命曰治亂也

〇脹論第三十五

黃帝曰脉之應于寸口如何而脹岐伯曰其脉
大堅以濇者脹也黃帝曰何以知藏府之脹也
岐伯曰陰爲藏脹爲府黃帝曰夫氣之令人脹

也在乎血脈之中耶藏府之內乎岐伯曰三[illegible]
許字者皆存焉然非脹之舍也黃帝曰願聞脹之
舍岐伯曰夫脹者皆在于藏府之外排藏府而
郭胸脅脹皮膚故命曰脹黃帝曰藏府之在胸
脅腹裏之內也若匣匱之藏禁器也各有次舍
異名而同處一域之中其氣各異願聞其故黃
帝曰未解其意再問岐伯曰夫胸腹藏府之郭
也膻中者心主之宮城也胃者太倉也咽喉小
腸者傳送也胃之五竅者閭里門戶也廉泉玉
英者津液之道也故五藏六府者各有畔界其

病各有形狀營氣循脈衛氣逆為脈脹衛氣並
脈循分為膚脹三里而寫近者一下遠者三下
無問虛實工在疾寫黃帝曰願聞脹形岐伯曰
夫心脹者煩心短氣臥不安肺脹者虛滿而喘
欬肝脹者脇下滿而痛引小腹脾脹者善噦四
肢煩悗體重不能勝衣臥不安腎脹者腹滿引
背央央然腰髀痛六府脹胃脹者腹滿胃脘痛
鼻聞焦臭妨于食大便難大腸脹者腸鳴而痛
濯濯冬日重感于寒則飧泄不化小腸脹者少
腹䐜脹引腰而痛膀胱脹者少腹滿而氣癃三

焦脹者氣滿於皮膚中輕輕然而不堅膽脹者
脅下痛脹口中苦善太息凡此諸脹者其道在
一明知逆順鍼數不失瀉虛補實神去其室致
邪失正真不可定粗之所敗謂之夭命補虛瀉
實神歸其室久塞其空謂之良工黃帝曰脹者
焉生何因而有岐伯曰衛氣之在身也常然並
脈循分肉行有逆順陰陽相隨乃得天和五藏
更始四時有序五穀乃化然後厥氣在下營衛
留止寒氣逆上真邪相攻兩氣相搏乃合爲脹
也黃帝曰善何以解惑岐伯曰合之于真三合

而得帝曰善黃帝問于岐伯曰脹論言無問虛實工在疾寫近者一下遠者三下今有其三而不下者其過焉在岐伯對曰此言陷于肉肓而中氣穴者也不中氣穴則氣內閉針不陷肓則氣不行上越中肉則衛氣相亂陰陽相逐其于脹也當寫不寫氣故不下三而不下必更其道氣下乃止不下復始可以萬全烏有殆者乎其于脹也必審其胗當寫則寫當補則補如鼓應桴惡有不下者乎

㊂五癃津液別第三十六

黃帝問于岐伯曰水穀入于口輸于腸胃其液别爲五天寒衣薄則爲溺與氣天熱衣厚則爲汗悲哀氣并則爲泣中熱胃緩則爲唾邪氣内逆則氣爲之閉塞而不行不行則爲水脹余知其然也不知其何由生願聞其道岐伯曰水穀皆入于口其味有五各注其海津液各走其道故三焦出氣以温肌肉充皮膚爲其津其流而不行者爲液天暑衣厚則腠理開故汗出寒留于分肉之間聚沫則爲痛天寒則腠理閉氣濕不行水下留于膀胱則爲溺與氣五藏六府心

爲之主耳爲之聽目爲之候肺爲之相肝爲之將脾爲之衛腎爲之主外故五藏六府之津液盡上滲于目心悲氣并則心系急心系急則肺舉肺舉則液上溢夫心系與肺不能常舉乍上乍下故欬而泣出矣中熱則胃中消穀消穀則蟲上下作腸胃充郭故胃緩胃緩則氣逆故唾出五穀之津液和合而爲高者内滲入于骨空補益腦髓而下流于陰股陰陽不和則使液溢而下流于陰髓液皆減而下下過度則虚虚故腰背痛而脛痠陰陽氣道不通四海閉塞三焦

不寫津液不化水穀并行腸胃之中別于迴腸留于下焦不得滲膀胱則下焦脹水溢則爲水脹此津液五別之逆順也

○五閱五使第三十七

黄帝問于岐伯曰余聞刺有五官五閱以觀五氣五氣者五藏之使也五時之副也願聞其五使當安出岐伯曰五官者五藏之閱也黄帝曰願聞其所出令可爲常岐伯曰脉出于氣口色見于明堂五色更出以應五時各如其常經氣入藏必當治裏帝曰善五色獨決于明堂乎岐

伯曰五官已辨闕庭必張乃立明堂明堂廣大
蕃蔽見外方壁高基引垂居外五色乃治平博
廣大壽中百歲見此者刺之必已如是之人者
血氣有餘肌肉堅緻故可苦已針黃帝曰願聞
五官歧伯曰鼻者肺之官也目者肝之官也口
脣者脾之官也舌者心之官也耳者腎之官也
黃帝曰以官何候歧伯曰以候五藏故肺病者
喘息鼻張肝病者眥青脾病者脣黃心病者舌
卷短顴赤腎病者顴與顏黑黃帝曰五脉安出
五色安見其常色殆者如何歧伯曰五官不辨

闕庭不張小其明堂蕃蔽不見又埤其墻墻下
無基垂角去外如是者雖平常殆況加疾哉黄
帝曰五色之見于明堂以觀五藏之氣左右高
下各有形乎岐伯曰府藏之在中也各以次舍
左右上下各如其度也

緻 池利切 密也

○逆順肥瘦第三十八

黄帝問于岐伯曰余聞鍼道于夫子衆多畢悉
矣夫子之道應若失而據未有堅然者也夫子
之問學熟乎將審察于物而心生之乎岐伯曰
聖人之爲道者上合于天下合于地中合于人

爭必有明法以起度數法式撿押乃後可傳焉
故匠人不能釋尺寸而意短長廢繩墨而起平
木也工人不能置規而爲員去矩而爲方知用
此者固自然之物易用之教逆順之常也黃帝
曰願聞自然奈何岐伯曰臨深決水不用功力
而水可竭也循掘決衝而經可通也此言氣之
滑澁血之淸濁行之逆順也黃帝曰願聞人之
白黑肥瘦小長各有數乎岐伯曰年質壯大血
氣充盈膚革堅固因加以邪刺此者深而留之
此肥人也廣肩腋項肉薄厚皮而黑色脣臨臨

然其血黑以濁其氣濇以遲其爲人也貪于取
與刺此者深而留之多益其數也黃帝曰刺瘦
人奈何岐伯曰瘦人者皮薄色少肉廉廉然薄
脣輕言其血清氣滑易脫于氣易損于血刺此
者淺而疾之黃帝曰刺常人奈何岐伯曰視其
白黑各爲調之其端正敦厚者其血氣和調刺
此者無失常數也黃帝曰刺壯士眞骨者奈何
岐伯曰刺壯士眞骨堅肉緩節監監然此人重
則氣濇血濁刺此者深而留之多益其數勁則
氣滑血清刺此者淺而疾之黃帝曰刺嬰兒奈

何岐伯曰嬰兒者其肉脆血少氣弱刺此者以毫刺淺刺而疾發針日再可也黃帝曰臨深決水奈何岐伯曰血清氣濁疾寫之則氣竭焉黃帝曰循掘決衝奈何岐伯曰血濁氣濇疾寫之則經可通也黃帝曰脉行之逆順奈何岐伯曰手之三陰從藏走手手之三陽從手走頭足之三陽從頭走足足之三陰從足走腹黃帝曰少陰之脉獨下行何也岐伯曰不然夫衝脉者五藏六府之海也五藏六府皆禀焉其上者出於頏顙滲諸陽灌諸精其下者注少陰之大絡出

于氣街循陰股內廉入膕中伏行骭骨內下至內踝之後屬而别其下者並于少陰之經滲三陰其前者伏行出跗屬下循跗入大指間滲諸絡而溫肌肉故别絡結則跗上不動不動則厥厥則寒矣黄帝曰何以明之岐伯曰以言導之切而驗之其非必動然後乃可明逆順之行也黄帝曰窘乎哉聖人之爲道也明于日月微于毫釐其非夫子孰能道之也

○血絡論第三十九

帝曰願聞其奇邪而不在經者岐伯曰血絡

是也黄帝曰刺血絡而仆者何也血出而射者
何也血少黑而濁者何也血出清而半爲汁者
何也發針而腫者何也血出若多若少而面色
蒼蒼者何也發針而面色不變而煩悗者何也
多出血而不動搖者何也願聞其故岐伯曰脉
氣盛而血虚者刺之則脱氣脱氣則仆血氣俱
盛而陰氣多者其血滑刺之則射陽氣畜積久
留而不寫者其血黑以濁故不能射新飲而液
滲于絡而未合和于血也故血出而汁别焉其
不新飲者身中有水久則爲腫陰氣積于陽其

氣因于絡故刺之血未出而氣先行故腫陰陽之氣其新相得而未和合因而寫之則陰陽俱脫表裏相離故脫色而蒼蒼然刺之血出多色不變而煩悗者刺絡而虛經虛經之屬于陰者陰脫故煩悗陰陽相得而合爲痺者此爲内溢于經外注于絡如是者陰陽俱有餘雖多出血而弗能虛也黄帝曰相之奈何岐伯曰血脉者盛堅横以赤上下無常處小者如針大者如筯則而寫之萬全也故無失數矣失數而反各如其度黄帝曰針入而肉著者何也岐伯曰熱氣

因于針則針熱熱則肉著于針故堅焉

○陰陽清濁第四十

黃帝曰余聞十二經脈以應十二經水者其五色各異清濁不同人之血氣若一應之奈何歧伯曰人之血氣苟能若一則天下爲一矣惡有亂者乎黃帝曰余問一人非問天下之衆歧伯曰夫一人者亦有亂氣天下之衆亦有亂人其合爲一耳黃帝曰願聞人氣之清濁歧伯曰受穀者濁受氣者清清者注陰濁者注陽濁而清者上出于咽清而濁者則下行清濁相干命曰

亂氣黃帝曰夫陰清而陽濁濁者有清清者有
濁清濁別之柰何岐伯曰氣之大別清者上注
于肺濁者下走于胃胃之清氣上出于口肺之
濁氣下注于經内積于海黃帝曰諸陽皆濁何
陽濁甚乎岐伯曰手太陽獨受陽之濁手太陰
獨受陰之清其清者上走空竅其濁者下行諸
經諸陰皆清足太陰獨受其濁黃帝曰治之柰
何岐伯曰清者其氣滑濁者其氣濇此氣之常
也故刺陰者深而留之刺陽者淺而疾之清濁
相干者以數調之也　悗音悶空音孔

黄帝素問靈樞集註卷之六

黃帝素問靈樞集註卷之七

◎陰陽繫日月第四十一

黃帝曰余聞天爲陽地爲陰日爲陽月爲陰其合之于人奈何岐伯曰腰以上爲天腰以下爲地故天爲陽地爲陰故足之十二經脉以應十二月月生于水故在下者爲陰手之十指以應十日日主火故在上者爲陽黃帝曰合之于脉奈何岐伯曰寅者正月之生陽也主左足之少陽未者六月主右足之少陽卯者二月主左足之太陽午者五月主右足之太陽辰者三月主

左足之陽明巳者四月主右足之陽明此兩陽
合于前故曰陽明申者七月之生陰也主右足
之少陰丑者十二月主左足之少陰酉者八月
主右足之大陰子者十一月主左足之大陰戌
者九月主右足之厥陰亥者十月主左足之厥
陰此兩陰交盡故曰厥陰甲主左手之少陽己
主右手之少陽乙主左手之大陽戊主右手之
大陽丙主左手之陽明丁主右手之陽明此兩
火并合故爲陽明庚主右手之少陰癸主左手
之少陰辛主右手之大陰壬主左手之大陰故

足之陽者陰中之少陽也足之陰者陰中之大
陰也手之陽者陽中之大陽也手之陰者陽中
之少陰也腰以上者爲陽腰以下者爲陰其於
五藏也心爲陽中之大陽肺爲陰中之少陰肝
爲陰中之少陽脾爲陰中之至陰腎爲陰中之
大陰黄帝曰以治奈何岐伯曰正月二月三月
人氣在左無刺左足之陽四月五月六月人氣
在右無刺右足之陽七月八月九月人氣在右
無刺右足之陰十月十一月十二月人氣在左
無刺左足之陰黄帝曰五行以東方爲甲乙木

王春春者蒼色主肝肝者足厥陰也今乃以甲爲左手之少陽不合于數何也岐伯曰此天地之陰陽也非四時五行之以次行也且夫陰陽者有名而無形故數之可十離之可百散之可千推之可萬此之謂也

〔　〕病傳第四十二

黃帝曰余受九針于夫子而私覽于諸方或有導引行氣喬摩灸熨刺焫飲藥之一者可獨守耶將盡行之乎岐伯曰諸方者衆人之方也非一人之所盡行也黃帝曰此乃所謂守一勿失

萬物畢者也今余已聞陰陽之要虛實之理傾
移之過可治之屬願聞病之變化淫傳絕敗而
不可治者可得聞乎岐伯曰要乎哉問道昭乎
其如日醒窘乎其如夜瞑能被而服之神與俱
成畢將服之神自得之生神之理可著于竹帛
不可傳于子孫黃帝曰何謂日醒岐伯曰明于
陰陽如惑之解如醉之醒黃帝曰何謂夜瞑岐
伯曰瘖乎其無聲漠乎其無形折毛發理正氣
橫傾淫邪泮衍血脉傳溜大氣入藏腹痛下淫
可以致死不可以致生黃帝曰大氣入藏奈何

岐伯曰病先發于心一日而之肺三日而之肝五日而之脾三日不已死冬夜半夏日中病先發于肺三日而之肝一日而之脾五日而之胃十日不已死冬日入夏日出病先發于肝三日而之脾五日而之胃三日而之腎三日不已死冬日入夏蚤食病先發于脾一日而之胃三日而之腎三日而之膂膀胱十日不已死冬人定夏晏食病先發于胃五日而之腎三日而之膂膀胱五日而上之心二日不已死冬夜半夏日昳病先發于腎三日而之膂膀胱三日而上之

心三日而之小腸三日不已死冬大晨夏早晡病先發于膀胱五日而之腎一日而之小腸一日而之心二日不已死冬雞鳴夏下晡諸病以次相傳如是者皆有死期不可刺也間一藏及二三四藏者乃可刺也

眣徒結切

○淫邪發夢第四十三

黃帝曰願聞淫邪泮衍奈何岐伯曰正邪從外襲內而未有定舍反淫于藏不得定處與營衛俱行而與魂魄飛揚使人卧不得安而喜夢氣淫于府則有餘于外不足于內氣淫于藏則有

餘于內不足于外黄帝曰有餘不足有形乎岐伯曰陰氣盛則夢涉大水而恐懼陽氣盛則夢大火而燔焫陰陽俱盛則夢相殺上盛則夢飛下盛則夢墮甚飢則夢取甚飽則夢予肝氣盛則夢怒肺氣盛則夢恐懼哭泣飛揚心氣盛則夢善笑恐畏脾氣盛則夢歌樂身體重不舉腎氣盛則夢腰脊兩解不屬凡此十二盛者至而寫之立已厥氣客于心則夢見丘山煙火客于肺則夢飛揚見金鐵之奇物客于肝則夢山林樹木客于脾則夢見丘陵大澤壞屋風雨客于

腎則夢臨淵沒居水中客于膀胱則夢遊行客于胃則夢飲食客于大腸則夢田野客于小腸則夢聚邑衝衢客于膽則夢鬭訟自刳客于陰器則夢接內客于項則夢斬首客于脛則夢行走而不能前及居深地窌苑中客于股肱則夢禮節拜起客于胞䐈則夢溲便凡此十五不足者至而補之立已也

窌 力交切

○順氣一日分爲四時第四十四

黃帝曰夫百病之所始生者必起于燥濕寒暑風雨陰陽喜怒飲食居處氣合而有形得藏而

有名余知其然也夫百病者多以旦慧晝安夕
加夜甚何也岐伯曰四時之氣使然黃帝曰願
聞四時之氣岐伯曰春生夏長秋收冬藏是氣
之常也人亦應之以一日分爲四時朝則爲春
日中爲夏日入爲秋夜半爲冬朝則人氣始生
病氣衰故旦慧日中人氣長長則勝邪故安夕
則人氣始衰邪氣始生故加夜半人氣入藏邪
氣獨居于身故甚也黃帝曰其時有反者何也
岐伯曰是不應四時之氣藏獨主其病者是必
以藏氣之所不勝時者甚以其所勝時者起也

黃帝曰治之奈何岐伯曰順天之時而病可與
期順者爲工逆者爲粗黃帝曰善余聞刺有五
變以主五輸願聞其數岐伯曰人有五藏五藏
有五變五變有五輸故五五二十五輸以應五
時黃帝曰願聞五變岐伯曰肝爲牡藏其色青
其時春其音角其味酸其日甲乙心爲牡藏其
色赤其時夏其日丙丁其音徵其味苦脾爲牝
藏其色黃其時長夏其日戊己其音宮其味甘
肺爲牝藏其色白其音商其時秋其日庚辛其
味辛腎爲牝藏其色黑其時冬其日壬癸其音

羽其味鹹是爲五變黃帝曰以主五輸柰何藏
主冬冬刺井色主春春刺滎時主夏夏刺輸音
主長夏長夏刺經味主秋秋刺合是謂五變以
主五輸黃帝曰諸原安合以致六輸岐伯曰原
獨不應五時以經合之以應其數故六六三十
六輸黃帝曰何謂藏主冬時主夏音主長夏味
主秋色主春願聞其故岐伯曰病在藏者取之
井病變于色者取之滎病時間時甚者取之輸
病變于音者取之經經滿而血者病在胃及以
飲食不節得病者取之於合故命曰味主合是

謂五變也
○外揣第四十五
黄帝曰余聞九針九篇余親授其調頗得其意
夫九針者始於一而終于九然未得其要道也
夫九針者小之則無內大之則無外深不可爲
下高不可爲蓋恍惚無窮流溢無極余知其合
于天道人事四時之變也然余願雜之毫毛渾
束爲一可乎歧伯曰明乎哉問也非獨針道焉
夫治國亦然黄帝曰余願聞針道非國事也歧
伯曰夫治國者夫惟道焉非道何可小大深淺

雜合而爲一乎黃帝曰願卒聞之岐伯曰日與月焉水與鏡焉鼓與響焉夫日月之明不失其影水鏡之察不失其形鼓響之應不後其聲動搖則應和盡得其情黃帝曰窘乎哉昭昭之明不可蔽其不可蔽不失陰陽也合而察之切而驗之見而得之若清水明鏡之不失其形也五音不彰五色不明五藏波蕩若是則外内相襲若鼓之應桴響之應聲影之似形故遠者司外揣内近者司内揣外是謂陰陽之極天地之蓋請藏之靈蘭之室弗敢使泄也

○五變第四十六

黄帝問于少俞曰余聞百疾之始期也必生于風雨寒暑循毫毛而入腠理或復還或留止或爲風腫汗出或爲消癉或爲寒熱或爲留痺或爲積聚奇邪淫溢不可勝數願聞其故夫同時得病或病此或病彼意者天之爲人生風乎何其異也少俞曰夫天之生風者非以私百姓也其行公平正直犯者得之避者得無殆非求人而人自犯之黄帝曰一時遇風同時得病其病各異願聞其故少俞曰善乎哉問請論以比匠

人匠之磨斧斤礪刀削斲材木木之陰陽尚有堅脆堅者不入脆者皮弛至其交節而缺斤斧焉夫一木之中堅脆不同堅者則剛脆者易傷況其材木之不同皮之厚薄汁之多少而各異耶夫木之蚤花先生葉者遇春霜烈風則花落而葉萎久曝大旱則脆木薄皮者枝條汁少而葉萎久陰淫雨則薄皮多汁者皮潰而漉卒風暴起則剛脆之木枝折杌傷秋霜疾風則剛脆之木根搖而葉落凡此五者各有所傷況於人乎黃帝曰以人應木柰何少俞答曰木之所傷

也皆傷其枝枝之剛脆而堅未成傷也人之有常病也亦因其骨節皮膚腠理之不堅固者邪之所舍也故常爲病也黄帝曰人之善病風厥漉汗者何以候之少俞荅曰肉不堅腠理踈則善病風黄帝曰何以候肉之不堅也少俞荅曰䐃肉不堅而無分理理者粗理粗理而皮不緻者腠理踈此言其渾然者黄帝曰人之善病消癉者何以候之少俞荅曰五藏皆柔弱者善病消癉黄帝曰何以知五藏之柔弱也少俞荅曰夫柔弱者必有剛强剛强多怒柔者易傷也黄

帝曰何以候柔弱之與剛強少俞荅曰人之薄皮膚而目堅固以深者長衝直揚其心剛剛則多怒怒則氣上逆胷中蓄積血氣逆留髖皮充肌血脈不行轉而爲熱熱則消肌膚故爲消癉此言其人暴剛而肌肉弱者也黃帝曰人之善病寒熱者何以候之少俞荅曰小骨弱肉者善病寒熱黃帝曰何以候骨之小大肉之堅脆色之不一也少俞荅曰顴骨者骨之本也顴大則骨大顴小則骨小皮膚薄而其肉無䐃其臂懦懦然其地色殆然不與其天同色污然獨異此

其候也然後臂薄者其髓不滿故善病寒熱也
黃帝曰何以候人之善病痺者少俞答曰粗理
而肉不堅者善病痺黃帝曰痺之高下有處乎
少俞答曰欲知其高下者各視其部黃帝曰人
之善病腸中積聚者何以候之少俞答曰皮膚
薄而不澤肉不堅而淖澤如此則腸胃惡惡則
邪氣留止積聚乃傷脾胃之間寒溫不次邪氣
稍至蓄積留止大聚乃起黃帝曰余聞病形已
知之矣願聞其時少俞答曰先立其年以知其
時時高則起時下則殆雖不陷下當年有衝通

其病必起是謂因形而生病五變之紀也

臗寬 机几 漉鹿 懦儒

○本藏第四十七

黃帝問于岐伯曰人之血氣精神者所以奉生而周于性命者也經脉者所以行血氣而營陰陽濡筋骨利關節者也衛氣者所以溫分肉充皮膚肥腠理司關闔者也志意者所以御精神收魂魄適寒溫和喜怒者也是故血和則經脉流行營覆陰陽筋骨勁強關節清利矣衛氣和則分肉解利皮膚調柔腠理緻密矣志意和則

精神專直魂魄不散悔怒不起五藏不受邪矣寒溫和則六府化穀風痺不作經脉通利肢節得安矣此人之常平也五藏者所以藏精神血氣魂魄者也六府者所以化水穀而行津液者也此人之所以具受于天也無愚智賢不肖無以相倚也然有其獨盡天壽而無邪僻之病百年不衰雖犯風雨卒寒大暑猶有弗能害也有其不離屏蔽室內無怵惕之恐然猶不免於病何也願聞其故岐伯對曰窘乎哉問也五藏者所以參天地副陰陽而連四時化五節者也五

藏者固有小大高下堅脆端正偏傾者六府亦
有小大長短厚薄結直緩急凡此二十五者各
不同或善或惡或吉或凶請言其方心小則安
邪弗能傷易傷以憂心大則憂不能傷易傷于
邪心高則滿于肺中悗而善忘難開以言心下
則藏外易傷于寒易恐以言心堅則藏安守固
心脆則善病消癉熱中心端正則和利難傷心
偏傾則操持不一無守司也肺小則少飲不病
喘喝肺大則多飲善病胷痺喉痺逆氣肺高則
上氣肩息欬肺下則居賁迫肺善脇下痛肺堅

則不病欬上氣肺脆則苦病消癉易傷肺端正
則和利難傷肺偏傾則胸偏痛也肝小則藏安
無脇下之病肝大則逼胃迫咽迫咽則苦膈中
且脇下痛肝高則上支賁切脇悗爲息賁肝下
則逼胃脇下空脇下空則易受邪肝堅則藏安
難傷肝脆則善病消癉易傷肝端正則和利難
傷肝偏傾則脇下痛也脾小則藏安難傷于邪
也脾大則苦湊䏚而痛不能疾行脾高則䏚引
季脇而痛脾下則下加于大腸下加于大腸則
藏苦受邪脾堅則藏安難傷脾脆則善病消癉

易傷脾端正則和利難傷脾偏傾則善滿善脹也腎小則藏安難傷腎大則善病腰痛不可以俛仰易傷以邪腎高則苦背膂痛不可以俛仰腎下則腰尻痛不可以俛仰爲狐疝腎堅則不病腰背痛腎脆則苦病消癉易傷腎端正則和利難傷腎偏傾則苦腰尻痛也凡此二十五變者人之所苦常病黄帝曰何以知其然也岐伯曰赤色小理者心小粗理者心大無髃骬者心高髃骬小短舉者心下髃骬長者心下堅髃骬弱小以薄者心脆髃骬直下不舉者心端正髃

骬倚一方者心偏傾也白色小理者肺小粗理
者肺大巨肩反膺陷喉者肺高合腋張脇者肺
下好肩背厚者肺堅肩背薄者肺脆背膺厚者
肺端正脇偏踈者肺偏傾也青色小理者肝小
粗理者肝大廣胷反骹者肝高合脇兔骹者肝
下胷脇好者肝堅脇骨弱者肝脆膺腹好相得
者肝端正脇骨偏舉者肝偏傾也黃色小理者
脾小粗理者脾大揭脣者脾高脣下縱者脾下
脣堅者脾堅脣大而不堅者脾脆脣上下好者
脾端正脣偏舉者脾偏傾也黑色小理者腎小

粗理者腎大高耳者腎高耳後陷者腎下耳堅者腎堅耳薄不堅者腎脆耳好前居牙車者腎端正耳偏高者腎偏傾也凡此諸變者持則安減則病也帝曰善然非余之所問也願聞人之有不可病者至盡天壽雖有深憂大恐怵惕之志猶不能減也甚寒大熱不能傷也其有不離屏蔽室内又無怵惕之恐然不免于病者何也願聞其故歧伯曰五藏六府邪之舍也請言其故五藏皆小者少病苦燋心大愁憂五藏皆大者緩于事難使以憂五藏皆高者好高舉措五

藏皆下者好出人下五藏皆堅者無病五藏皆
脆者不離于病五藏皆端正者和利得人心五
藏皆偏傾者邪心而善盜不可以爲人平反覆
言語也黄帝曰願聞六府之應歧伯荅曰肺合
大腸大腸者皮其應心合小腸小腸者脉其應
肝合膽膽者筋其應脾合胃胃者肉其應腎合
三焦膀胱三焦膀胱者腠理毫毛其應黄帝曰
應之柰何歧伯曰肺應皮皮厚者大腸厚皮薄
者大腸薄皮緩腹裏大者大腸大而長皮急者
大腸急而短皮滑者大腸直皮肉不相離者大

腸結心應脉皮厚者脉厚脉厚者小腸厚皮薄者脉薄脉薄者小腸薄皮緩者脉緩脉緩者小腸大而長皮薄而脉冲小者小腸小而短諸陽經脉皆多紆屈者小腸結脾應肉肉䐃堅大者胃厚肉䐃麼者胃薄肉䐃小而麼者胃不堅肉䐃不稱身者胃下胃下者下管約不利肉䐃不堅者胃緩肉䐃無小裹累者胃急肉䐃多少裹累者胃結胃結者上管約不利也肝應爪爪厚色黄者膽厚爪薄色紅者膽薄爪堅色青者膽急爪濡色赤者膽緩爪直色白無約者膽直爪

惡色黑多紋者膽結也腎應骨密理厚皮者三焦膀胱厚粗理薄皮者三焦膀胱薄疎腠理者三焦膀胱緩皮急而無毫毛者三焦膀胱急毫毛美而粗者三焦膀胱直稀毫毛者三焦膀胱結也黃帝曰厚薄美惡皆有形願聞其所病岐伯答曰視其外應以知其內藏則知所病矣

尻枯高切骹敲髃結骭于

黃帝素問靈樞集註卷之七

黃帝素問靈樞集註卷之八

○禁服第四十八

雷公問于黃帝曰細子得受業通于九針六十篇旦暮勤服之近者編絕久者簡垢然尚諷誦弗置未盡解於意矣外揣言渾束爲一未知所謂也夫大則無外小則無內大小無極高下無度束之柰何士之才力或有厚薄智慮編淺不能博大深奧自強于學若細子細子恐其散于後世絕于子孫敢問約之柰何黃帝曰善乎哉問也此先師之所禁坐私傳之也割臂歃血之

盟也子若欲得之何不齋乎雷公再拜而起曰請聞命于是也乃齋宿三日而請曰敢問今日正陽細子願以受盟黃帝乃與俱入齋室割臂歃血黃帝親祝曰今日正陽歃血傳方有敢背此言者反受其殃雷公再拜曰細子受之黃帝乃左握其手右援之書曰慎之慎之吾爲子言之凡刺之理經脉爲始營其所行知其度量内刺五藏外刺六府審察衛氣爲百病母調其虛實虛實乃止寫其血絡血盡不殆矣雷公曰此皆細子之所以通未知其所約也黃帝曰夫約

方者猶約囊也囊滿而弗約則輸泄方成弗約
則神與弗俱雷公曰願爲下材者勿滿而約之
黄帝曰未滿而知約之以爲工不可以爲天下
師雷公曰願聞爲工黄帝曰寸口主中人迎主
外兩者相應俱往俱來若引繩大小齊等春夏
人迎微大秋冬寸口微大如是者名曰平人人
迎大一倍于寸口病在足少陽一倍而躁在手
少陽人迎二倍病在足大陽二倍而躁病在手
大陽人迎三倍病在足陽明三倍而躁病在手
陽明盛則爲熱虛則爲寒緊則爲痛痺代則乍

甚乍間盛則寫之虛則補之緊痛則取之分肉代則取血絡具飲藥陷下則灸之不盛不虛以經取之名曰經刺人迎四倍者且大且數名曰溢陽溢陽爲外格死不治必審按其本末察其寒、熱以驗其藏府之病寸口大于人迎一倍病在足厥陰一倍而躁在手心主寸口二倍病在足少陰二倍而躁在手少陰寸口三倍病在足太陰三倍而躁在手太陰盛則脹滿寒、中食不化虛則熱中出糜少氣溺色變緊則痛痺代則乍痛乍止盛則寫之虛則補之緊則先刺而後灸之代則取血絡而後調之陷下則徒灸之陷下者脉血結于中中有著血血寒故宜灸之不盛不虛以經取之寸口四倍者名曰內關內關者且大且數死不治必審察其本末之寒溫以驗其藏府之病通其營輸乃可傳于大數大數曰盛則徒寫之虛則徒補之緊則灸刺且飲藥陷下則徒灸之不盛不虛以經取之所謂經治者飲藥亦曰灸刺脉急則引脉大以弱則欲安靜用力無勞也

歃 楚洽切

〔一〕五色第四十九

雷公問于黄帝曰五色獨決于明堂乎小子未
知其所謂也黄帝曰明堂者鼻也闕者眉間也
庭者顔也蕃者頰側也蔽者耳門也其間欲方
大去之十步皆見于外如是者壽必中百歲雷
公曰五官之辨奈何黄帝曰明堂骨高以起平
以直五藏次于中央六府挾其兩側首面上于
闕庭王宮在于下極五藏安于胷中真色以致
病色不見明堂潤澤以清五官惡得無辨乎雷
公曰其不辨者可得聞乎黄帝曰五色之見也
各出其色部部骨陷者必不免于病矣其色部

乘襲者雖病甚不死矣雷公曰官五色奈何黃
帝者青黑爲痛黃赤爲熱白爲寒是謂五官雷
公曰病之益甚與其方衰如何黃帝曰外内皆
在焉切其脉口滑小緊以沉者病益甚在中人
迎氣大緊以浮者其病益甚在外其脉口浮滑
者病日進人迎沉而滑者病日損其脉口滑以
沉者病日進在内其人迎脉滑盛以浮者其病
日進在外脉之浮沉及人迎與寸口氣小大等
者病難已病之在藏沉而大者易已小爲逆病
在府浮而大者其病易已人迎盛堅者傷於寒

氣口甚堅者傷於食雷公曰以色言病之間甚奈何黄帝曰其色麤以明沉夭者爲甚其色上行者病益甚其色下行如雲徹散者病方以五色各有藏部有外部有内部也色從外部走内部者其病從外走内其色從内走外者其病從内走外病生於内者先治其陰後治其陽反者益甚其病生於陽者先治其外後治其内反者益甚其脉滑大以代而長者病從外來目有所見志有所惡此陽氣之并也可變而已雷公曰小子聞風者百病之始也厥逆者寒濕之起也

別之奈何黃帝曰常候闕中薄澤爲風冲濁爲痺在地爲厥此其常也各以其色言其病雷公曰人不病卒死何以知之黃帝曰大氣入于藏府者不病而卒死矣雷公曰病小愈而卒死者何以知之黃帝曰赤色出兩顴大如母指者病雖小愈必卒死黑色出於庭大如母指必不病而卒死雷公再拜曰善哉其死有期乎黃帝曰察色以言其時雷公曰善乎願卒聞之黃帝曰庭者首面也闕上者咽喉也闕中者肺也下極者心也直下者肝也肝左者膽也下者脾也方

上者胃也中央者太腸也挾大腸者腎也當腎者臍也面王以上者小腸也面王以下者膀胱子處也顴者肩也顴後者臂也臂下者手也目内眥上者膺乳也挾繩而上者背也循牙車以下者股也中央者膝也膝以下者脛也當脛以下者足也巨分者股裏也巨屈者膝臏也此五藏六府肢節之部也各有部分有部分用陰和陽用陽和陰當明部分萬舉萬當能别左右是謂大道男女異位故曰陰陽審察澤夭謂之良工沉濁爲内浮澤爲外黄赤爲風青黑爲痛白

爲寒黄而膏潤爲膿亦甚者爲血痛甚爲攣寒甚爲皮不仁五色各見其部察其浮沉以知淺深察其澤夭以觀成敗察其散摶以知遠近視色上下以知病處積神于心以知往今故相氣不微不知是非屬意勿去乃知新故色明不麤沉夭爲甚不明不澤其病不甚其色散駒駒然未有聚其病散而氣痛聚未成也腎乗心心先病腎爲應色皆如是男子色在于面王爲小腹痛下爲卵痛其圜直爲莖痛高爲本下爲首狐疝㿗陰之屬也女子在于面王爲膀胱子處之

病散爲痛摶爲聚方員左右各如其色形其隨
而下至胝爲淫有潤如膏狀爲暴食不潔左爲
左右爲右其色有邪聚散而不端面色所指者
也色者青黑赤白黄皆端滿有别鄉别鄉赤者
其色亦大如榆莢在面王爲不日其色上銳首
空上向下銳下向在左右如法以五色命藏青
爲肝赤爲心白爲肺黄爲脾黑爲腎肝合筋心
合脉肺合皮脾合肉腎合骨也

◎論勇第五十

黄帝問于少俞曰有人于此並行並立其年之

長少等也衣之厚薄均也卒然遇烈風暴雨或病或不病或皆病或皆不病其故何也少俞曰帝問何急黃帝曰願盡聞之少俞曰春青風夏陽風秋涼風冬寒風凡此四時之風者其所病各不同形黃帝曰四時之風病人如何少俞曰黃色薄皮弱肉者不勝春之虛風白色薄皮弱肉者不勝夏之虛風青色薄皮弱肉不勝秋之虛風赤色薄皮弱肉不勝冬之虛風也黃帝曰黑色不病乎少俞曰黑色而皮厚肉堅固不傷于四時之風其皮薄而肉不堅色不一者長夏

至而有虛風者病矣其皮厚而肌肉堅者長夏至而有虛風不病矣其皮厚而肌肉堅者必重感于寒外內皆然乃病黃帝曰善黃帝曰夫人之忍痛與不忍痛者非勇怯之分也夫勇士之不忍痛者見難則前見痛則止夫怯士之忍痛者聞難則恐遇痛不動夫勇士之忍痛者見難不恐遇痛不動夫怯士之不忍痛者見難與痛目轉面盻恐不能言失氣驚顏色變化乍死乍生余見其然也不知其何由願聞其故少俞曰夫忍痛與不忍痛者皮膚之薄厚肌肉之堅脆

緩急之分也非勇怯之謂也黃帝曰願聞勇怯之所由然少俞曰勇士者目深以固長衡直揚三焦理橫其心端直其肝大以堅其膽滿以傍怒則氣盛而胸張肝舉而膽橫眥裂而目揚毛起而面蒼此勇士之由然者也黃帝曰願聞怯士之所由然少俞曰怯士者目大而不減陰陽相失其焦理縱䯏骭短而小肝系緩其膽不滿而縱腸胃挺脇下空雖方大怒氣不能滿其胸肝肺雖舉氣衰復下故不能久怒此怯士之所由然者也黃帝曰怯士之得酒怒不避勇士者

何藏使然少愈曰酒者水穀之精熟穀之液也其氣慓悍其入于胃中則胃脹氣上逆滿于胷中肝浮膽橫當是之時固比于勇士氣衰則悔與勇士同類不知避之名曰酒悖也

胃挺下姑梗切

○背腧第五十二

黄帝問于岐伯曰願聞五藏之腧出于背者岐伯曰胷中大腧在杼骨之端肺腧在三焦之間心腧在五焦之間膈腧在七焦之間肝腧在九焦之間脾腧在十一焦之間腎腧在十四焦之

間皆挾脊相去三寸所則欲得而驗之按其處應在中而痛解乃其腧也灸之則可刺之則不可氣盛則寫之虛則補之以火補者毋吹其火須自滅也以火寫者疾吹其火傳其艾須其火滅也

○衛氣第五十二

黃帝曰五藏者所以藏精神魂魄者也六府者所以受水穀而行化物者也其氣內干五藏而外絡肢節其浮氣之不循經者爲衛氣其精氣之行于經者爲營氣陰陽相隨外內相貫如環

之無端亭亭淳淳乎孰能窮之然其分別陰陽
皆有標本虛實所離之處能別陰陽十二經者
知病之所生候虛實之所在者能得病之高下
知六府之氣街者能知解結契紹于門戶能知
虛石之堅軟者知補寫之所在能知六經標本
者可以無惑于天下岐伯曰博哉聖帝之論臣
請盡意悉言之足太陽之本在跟以上五寸中
標在兩絡命門命門者目也足少陽之本在竅
陰之間標在窻籠之前窻籠者耳也足少陰之
本在內踝下上三寸中標在背腧與舌下兩脉

也足厥陰之本在行間上五寸所標在背腧也
足陽明之本在厲兌標在人迎頰挾頏顙也足
大陰之本在中封前上四寸之中標在背腧與
舌本也手大陽之本在外踝之後標在命門之
上一寸也手少陽之本在小指次指之間上二
寸標在耳後上角下外眥也手陽明之本在肘
骨中上至别陽標在顏下合鉗上也手大陰之
本在寸口之中標在腋內動也手少陰之本在
銳骨之端標在背腧也手心主之本在掌後兩
筋之間二寸中標在腋下下三寸也凡候此者

下虛則厥下盛則熱上虛則眩上盛則熱痛故石者絶而止之虛者引而起之請言氣街胷氣有街腹氣有街頭氣有街脛氣有街故氣在頭者止之于腦氣在胷者止之膺與背腧氣在腹者止之背腧與衝脉于臍左右之動脉者氣在脛者止之于氣街與承山踝上以下取此者用毫針必先按而在久應于手乃刺而予之所治者頭痛眩仆腹痛中滿暴脹及有新積痛可移者易已也積不痛難已也

鉗音鈐

〇論痛第五十三

黃帝問于少俞曰筋骨之強弱肌肉之堅脆皮膚之厚薄腠理之踈密各不同其于針石火焫之痛何如腸胃之厚薄堅脆亦不等其於毒藥何如願盡聞之少俞曰人之骨強筋弱肉緩皮膚厚者耐痛其于針石之痛火焫亦然黃帝曰其耐火焫者何以知之少俞荅曰加以黑色而美骨者耐火焫黃帝曰其不耐針石之痛者何以知之少俞曰堅肉薄皮者不耐針石之痛于火焫亦然黃帝曰人之病或同時而傷或易已或難已其故何如少俞曰同時而傷其身多熱

者易已多寒者難已黄帝曰人之勝毒何以知之少俞曰胃厚色黑太骨及肥者皆勝毒故其瘦而薄胃者皆不勝毒也

○天年第五十四

黄帝問于岐伯曰願聞人之始生何氣築爲基何立而爲楯何失而死何得而生岐伯曰以母爲基以父爲楯失神者死得神者生也黄帝曰何者爲神岐伯曰血氣已和榮衛已通五藏已成神氣舍心魂魄畢具乃成爲人黄帝曰人之壽夭各不同或夭壽或卒死或病久願聞其道

岐伯曰五藏堅固血脉和調肌肉解利皮膚緻
密營衛之行不失其常呼吸微徐氣以度行六
府化穀津液布揚各如其常故能長久黄帝曰
人之壽百歲而死何以致之岐伯曰使道隧以
長基牆高以方通調營衛三部三里起骨高肉
滿百歲乃得終黄帝曰其氣之盛衰以至其死
可得聞乎岐伯曰人生十歲五藏始定血氣已
通其氣在下故好走二十歲血氣始盛肌肉方
長故好趨三十歲五藏大定肌肉堅固血脉盛
滿故好步四十歲五藏六府十二經脉皆大盛

以平定腠理始踈榮華頽落髮頗班白平盛不摇故好坐五十歲肝氣始衰肝葉始薄膽汁始滅目始不明六十歲心氣始衰苦憂悲血氣懈惰故好卧七十歲脾氣虚皮膚枯八十歲肺氣衰魄離故言善悞九十歲腎氣焦四藏經脉空虚百歲五藏皆虚神氣皆去形骸獨居而終矣

黄帝曰其不能終壽而死者何如岐伯曰其五藏皆不堅使道不長空外以張喘息暴疾又卑基牆薄脉少血其肉不石數中風寒血氣虚脉不通其邪相攻亂而相引故中壽而盡也

○逆順第五十五

黃帝問于伯高曰余聞氣有逆順脉有盛衰刺有大約可得聞乎伯高曰氣之逆順者所以應天地陰陽四時五行也脉之盛衰者所以候血氣之虛實有餘不足刺之大約者必明知病之可刺與其未可刺與其已不可刺也黃帝曰候之奈何伯高曰兵法曰無迎逢逢之氣無擊堂堂之陣刺法曰無刺熇熇之熱無刺漉漉之汗無刺渾渾之脉無刺病與脉相逆者黃帝曰候其可刺奈何伯高曰上工刺其未生者也其次

刺其未盛者也其次刺其已衰者也下工刺其
方襲者也與其形之盛者也與其病之與脈相
逆者也故曰方其盛也勿敢毀傷刺其已衰事
必大昌故曰上工治未病不治已病此之謂也

逢蒲蒙熇呼木切

五味第五十六

黃帝曰願聞穀氣有五味其入五藏分別奈何
伯高曰胃者五藏六府之海也水穀皆入于胃
五藏六府皆禀氣于胃五味各走其所喜穀味
酸先走肝穀味苦先走心穀味甘先走脾穀味

辛先走肺穀味鹹先走腎穀氣津液已行營衛
大通乃化糟粕以次傳下黃帝曰營衛之行奈
何伯高曰穀始入于胃其精微者先出于胃之
兩焦以溉五藏別出兩行營衛之道其大氣之
摶而不行者積于胷中命曰氣海出于肺循喉
咽故呼則出吸則入天地之精氣其大數常出
三入一故穀不入半日則氣衰一日則氣少矣
黃帝曰穀之五味可得聞乎伯高曰請盡言之
五穀秔米甘麻酸大豆鹹麥苦黃黍辛五菓棗
甘李酸栗鹹杏苦桃辛五畜牛甘犬酸豬鹹羊

苦雞辛五菜葵甘韭酸藿鹹薤苦葱辛五色黄
色宜甘青色宜酸黑色宜鹹赤色宜苦白色宜
辛凡此五者各有所宜五宜所言五色者脾病
者宜食秔米飯牛肉棗葵心病者宜食麥羊肉
杏薤腎病者宜食大豆黄卷猪肉栗藿肝病者
宜食麻犬肉李韭肺病者宜食黄黍雞肉桃葱
五禁肝病禁辛心病禁鹹脾病禁酸腎病禁甘
肺病禁苦肝色青宜食甘秔米飯牛肉棗葵皆
甘心色赤宜食酸犬肉麻李韭皆酸脾色黄宜
食鹹大豆豕肉栗藿皆鹹肺色白宜食苦麥羊

肉杏薤皆苦腎色黑宜食辛黃黍雞肉桃葱皆
辛

黃帝素問靈樞集註卷之八

·白頁·

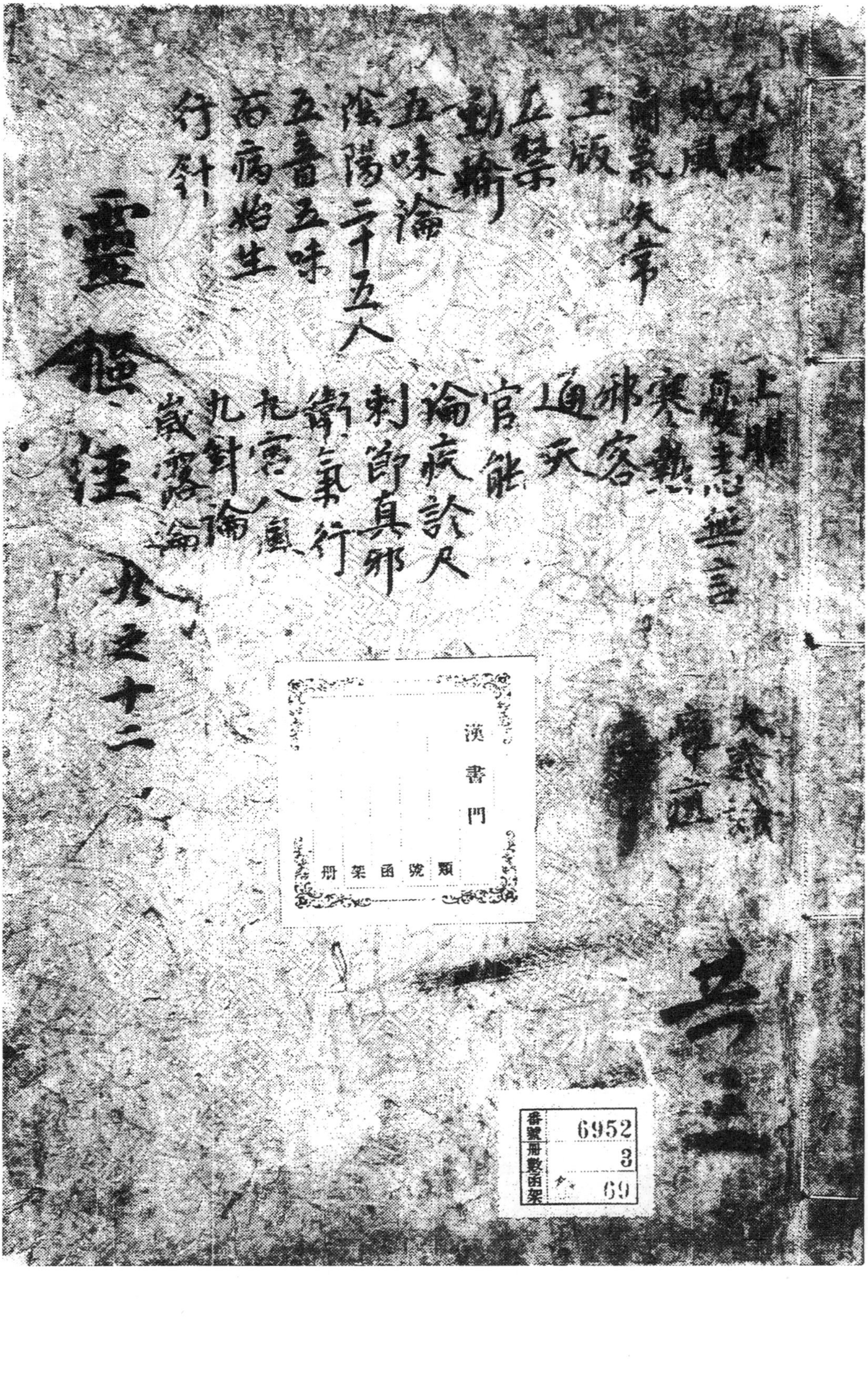
靈樞注 卷之十二
賊風
衛氣失常
玉版
五禁
動輸
五味論
陰陽二十五人
五音五味
百病始生
行針
上膈
憂恚無言
寒熱
邪客
通天
官能
論疾診尺
刺節真邪
衛氣行
九宮八風
九針論
歲露論
漢書門
類 號 函 架 冊
番號 6952
冊數 3
函架 69

黄帝素問靈樞集註卷之九

○水脹第五十七

黄帝問于岐伯曰水與膚脹鼓脹腸覃石瘕石水何以别之岐伯荅曰水始起也目窠上微腫如新卧起之狀其頸脉動時欬陰股間寒足脛瘇腹乃大其水已成矣以手按其腹隨手而起如裹水之狀此其候也黄帝曰膚脹何以候之岐伯曰膚脹者寒氣客于皮膚之間鼕鼕然不堅腹大身盡腫皮厚按其腹窅而不起腹色不變此其候也鼓脹何如岐伯曰腹脹身皆大大

與膚脹等也色蒼黃腹筋起此其候也腸覃何
如岐伯曰寒氣客于腸外與衛氣相搏氣不得
榮因有所繫癖而内著惡氣乃起瘜肉乃生其
始生也大如雞卵稍以益大至其成如懷子之
狀久者離歲按之則堅推之則移月事以時下
此其候也石瘕何如岐伯曰石瘕生于胞中寒
氣客于子門子門閉塞氣不得通惡血當寫不
寫衃以留止日以益大狀如懷子月事不以時
下皆生于女子可導而下黃帝曰膚脹鼓脹可
刺邪岐伯曰先寫其脹之血絡後調其經刺去

其血絡也
○賊風第五十八
黄帝曰夫子言賊風邪氣之傷人也令人病焉
今有其不離屏蔽不出室穴之中卒然病者非
不離賊風邪氣其故何也岐伯曰此皆嘗有所
傷于濕氣藏于血脉之中分肉之間久留而不
去若有所墮墜惡血在内而不去卒然喜怒不
節飲食不適寒溫不時腠理閉而不通其開而
遇風寒則血氣凝結與故邪相襲則爲寒痺其
有熱則汗出汗出則受風雖不遇賊風邪氣必

有因加而發焉黃帝曰今夫子之所言者皆病人之所自知也其毋所遇邪氣又毋怵惕之所志卒然而病者其故何也唯有因鬼神之事乎岐伯曰此亦有故邪留而未發因而志有所惡及有所慕血氣內亂兩氣相搏其所從來者微視之不見聽而不聞故似鬼神黃帝曰其祝而已者不故何也岐伯曰先巫者因知百病之勝先知其病之所從生者可祝而已也

○衞氣失常第五十九

黃帝曰衞氣之留于腹中搐積不行苑蘊不得

常所使人肢脇胃中滿喘呼逆息者何以去之伯高曰其氣積于胷中者上取之積于腹中者下取之上下皆滿者傍取之黃帝曰取之奈何伯高對曰積于上寫人迎天突喉中積于下者寫三里與氣街上下皆滿者上下取之與季脇之下一寸（一本云季脇之下深一寸）重者雞足取之診視其脉大而弦急及絶不至者及腹皮急甚者不可刺也黃帝曰善黃帝問于伯高曰何以知皮肉氣血筋骨之病也伯高曰色起兩眉薄澤者病在皮脣色青黃赤白黑者病在肌肉營氣濡然

者病在血氣目色青黃赤白黑者病在筋耳焦
枯受塵垢病在骨黃帝曰病形何如取之柰何
伯高曰夫百病變化不可勝數然皮有部肉有
柱血氣有輸骨有屬黃帝曰願聞其故伯高曰
皮之部輸于四末肉之柱在臂脛諸陽分肉之
間與足少陰分間血氣之輸輸于諸絡氣血留
居則盛而起筋部無陰無陽無左無右候病所
在骨之屬者骨空之所以受益而益腦髓者也
黃帝曰取之柰何伯高曰夫病變化浮沉深淺
不可勝窮各在其處病間者淺之甚者深之間

者小之甚者衆之隨變而調氣故曰上工黃帝問于伯高曰人之肥瘦大小寒溫有老壯少小別之柰何伯高對曰人年五十已上爲老二十已上爲壯十八以上爲少六歲已上爲小黃帝曰何以度之其肥瘦伯高曰人有肥有膏有肉黃帝曰別此柰何伯高曰膕內堅一本云膕內皮滿者肥膕內不堅皮緩者膏皮內不相離者肉黃帝曰身之寒溫何如伯高曰膏者其肉淖而粗理者身寒細理者身熱脂者其肉堅細理者熱粗理者寒黃帝曰其肥瘦大小柰何伯高曰膏

者多氣而皮縱緩故能縱腹垂腴肉者身體容
大脂者其身收小黃帝曰三者之氣血多少何
如伯高曰膏者多氣多氣者熱熱者耐寒肉者
多血則充形充形則平脂者其血清氣滑少故
不能大此別于衆人者也黃帝曰衆人奈何伯
高曰衆人皮肉脂膏不能相加也血與氣不能
相多故其形不小不大各自稱其身命曰衆人
黃帝曰善治之奈何伯高曰必先別其三形血
之多少氣之清濁而後調之治無失常經是故
膏人縱腹垂腴肉人者上下容大脂人者雖脂

不能大者

○玉版第六十

黄帝曰余以小針爲細物也夫子乃言上合之于天下合之于地中合之于人余以爲過針之意矣願聞其故岐伯曰何物大於天乎夫大于針者惟五兵者焉五兵者死之備也非生之具且夫人者天地之鎮也其不可不參乎夫治民者亦唯針焉夫針之與五兵其孰小乎黄帝曰病之生時有喜怒不測飲食不節陰氣不足陽氣有餘營氣不行乃發爲癰疽陰陽不通兩熱

搏搏乃化爲膿小針能取之乎岐伯曰聖人不能使化者爲之邪不可留也故兩軍相當旗幟相望白刃陳于中野者此非一日之謀也能使其民令行禁止士卒無白刃之難者非一日之教也須臾之得也夫至使身被癰疽之病膿血之聚者不亦離道遠乎夫癰疽之生膿血之成也不從天下不從地出積微之所生也故聖人自治于未有形也愚者遭其已成也黃帝曰其已形不予遭膿已成不予見爲之奈何岐伯曰膿已成十死一生故聖人弗使已成而明爲良

方著之竹帛使能者踵而傳之後世無有終時者爲其不予遭也黃帝曰其已有膿血而後遭乎不導之以小針治乎岐伯曰以小治小者其功小以大治大者多害故其已成膿血者其唯砭石鈹鋒之所取也黃帝曰多害者其不可全乎岐伯曰其在逆順焉黃帝曰願聞逆順岐伯曰以爲傷者其白眼青黑眼小是一逆也內藥而嘔者是二逆也腹痛渴甚是三逆也肩項中不便是四逆也音嘶色脫是五逆也除此五者爲順矣黃帝曰諸病皆有逆順可得聞乎岐伯

曰腹脹身熱脉大是一逆也腹鳴而滿四肢清泄其脉大是二逆也衄而不止脉大是三逆也咳且溲血脫形其脉小勁是四逆也欬脫形身熱脉小以疾是謂五逆也如是者不過十五日而死矣其腹大脹四末清脫形泄甚是一逆也腹脹便血其脉大時絶是二逆也欬溲血形肉脫脉搏是三逆也嘔血胷滿引背脉小而疾是四逆也欬嘔腹脹且飧泄其脉絶是五逆也如是者不及一時而死矣工不察此者而刺之是謂逆治黃帝曰夫子之言針甚駿以配天地上

數天文下度地紀內别五藏外次六府經脉二十八會盡有周紀能殺生人不能起死者子能反之乎岐伯曰能殺生人不能起死者也黃帝曰余聞之則為不仁然願聞其道弗行於人岐伯曰是明道也其必然也其如刀劒之可以殺人如飲酒使人醉也雖勿診猶可知矣黃帝曰願卒聞之岐伯曰人之所受氣者穀也穀之所注者胃也胃者水穀氣血之海也海之所行雲氣者天下也胃之所出氣血者經隧也經隧者五藏六府之大絡也迎而奪之而已矣黃帝曰

上下有數乎岐伯曰迎之五里中道而止五至而已五往而藏之氣盡矣故五五二十五而竭其輸矣此所謂奪其天氣者也非能絶其命而傾其壽者也黄帝曰願卒聞之岐伯曰闚門而刺之者死于家中入門而刺之者死于堂上黄帝曰善乎方明哉道請著之玉版以爲重寳傳之後世以爲刺禁令民勿敢犯也

○五禁第六十一

黄帝問于岐伯曰余聞刺有五禁何謂五禁岐伯曰禁其不可刺也黄帝曰余聞刺有五奪岐

伯曰無寫其不可奪者也黃帝曰余聞刺有五過岐伯曰補寫無過其度黃帝曰余聞刺有五逆岐伯曰病與脉相逆命曰五逆黃帝曰余聞刺有九宜岐伯曰明知九針之論是謂九宜黃帝曰何謂五禁願聞其不可刺之時岐伯曰甲乙日自乘無刺頭無發矇于耳內丙丁日自乘無振埃于肩喉廉泉戊己日自乘四季無刺腹去爪寫水庚辛日自乘無刺關節于股膝壬癸日自乘無刺足脛是謂五禁黃帝曰何謂五奪岐伯曰形肉已奪是一奪也大奪血之後是二

奪也大汗出之後是三奪也大泄之後是四奪
也新產及大血之後是五奪也此皆不可寫黃
帝曰何謂五逆岐伯曰熱病脉靜汗已出脉盛
躁是一逆也病泄脉洪大是二逆也著痺不移
䐃肉破身熱脉偏絕是三逆也淫而奪形身熱
色夭然白及後下血衃血衃篤重是謂四逆也
寒熱奪形脉堅摶是謂五逆也

○動輸第六十二

黃帝曰經脉十二而手太陰足少陰陽明獨動
不休何也岐伯曰是明胃脉也胃爲五藏六府

之海其清氣上注于肺肺氣從太陰而行之其
行也以息往來故人一呼脉再動一吸脉亦再
動呼吸不已故動而不止黃帝曰氣之過于寸
口也上十焉息下八焉伏何道從還不知其極
岐伯曰氣之離藏也卒然如弓弩之發如水之
下岸上于魚以反衰其餘氣衰散以逆上故其
行微黃帝曰足之陽明何因而動岐伯曰胃氣
上注于肺其悍氣上衝頭者循咽上走空竅循
眼系入絡腦出顑下客主人循牙車合陽明并
下人迎此胃氣別走于陽明者也故陰陽上下

其動也若一故陽病而陽脉小者爲逆陰病而
陰脉大者爲逆故陰陽倶靜倶動若引繩相傾
者病黃帝曰足少陰何因而動岐伯曰衝脉者
十二經之海也與少陰之大絡起于腎下出于
氣街循陰股内廉邪入膕中循脛骨内廉並少
陰之經下入内踝之後入足下其別者邪入踝
出屬跗上入大指之間注諸絡以溫足脛此脉
之常動者也黃帝曰營衛之行也上下相貫如
環之無端今有其卒然遇邪氣及逢大寒手足
懈惰其脉陰陽之道相輸之會行相失也氣何

由還岐伯曰夫四末陰陽之會者此氣之大絡
也四街者氣之徑路也故絡絶則徑通四末解
則氣從合相輸如環黃帝曰善此所謂如環無
端莫知其紀終而復始此之謂也

○五味論第六十三

黃帝問于少俞曰五味入于口也各有所走各
有所病酸走筋多食之令人癃鹹走血多食之
令人渴辛走氣多食之令人洞心苦走骨多食
之令人變嘔甘走肉多食之令人悗心余知其
然也不知其何由願聞其故少俞答曰酸入于

胃其氣澁以收上之兩焦弗能出入也不出即留于胃中胃中和溫則下注膀胱膀胱之胞薄以懦得酸則縮綣約而不通水道不行故癃陰者積筋之所終也故酸入而走筋矣黃帝曰鹹走血多食之令人渴何也少俞曰鹹入于胃其氣上走中焦注于脉則血氣走之血與鹹相得則凝凝則胃中沐注之注之則胃中竭竭則咽路焦故舌本乾而善渴血脉者中焦之道也故鹹入而走血矣黃帝曰辛走氣多食之令人洞心何也少俞曰辛入于胃其氣走于上焦上焦

者受氣而營諸陽者也姜韭之氣熏之營衛之氣不時受之久留心下故洞心辛與氣俱行故辛入而與汗俱出黃帝曰苦走骨多食之令人變嘔何也少俞曰苦入于胃五穀之氣皆不能勝苦苦入下脘三焦之道皆閉而不通故變嘔齒者骨之所終也故苦入而走骨故入而復出知其走骨也黃帝曰甘走肉多食之令人悗心何也少俞曰甘入于胃其氣弱小不能上至于上焦而與穀留于胃中者令人柔潤者也胃柔則緩緩則蟲動蟲動則令人悗心其氣外通於

內故甘走肉

○陰陽二十五人第六十四

黃帝曰余聞陰陽之人何如伯高曰天地之間六合之內不離于五人亦應之故五五二十五人之政而陰陽之人不與焉其態又不合于衆者五余已知之矣願聞二十五人之形血氣之所生別而以候從外知內何如歧伯曰悉乎哉問也此先師之秘也雖伯高猶不能明之也黃帝避席遵循而却曰余聞之得其人弗教是謂重失得而泄之天將厭之余願得而明之金櫃

藏之不敢揚之岐伯曰先立五形金木水火土
别其五色異其五形之人而二十五人具矣黄
帝曰願卒聞之岐伯曰慎之慎之臣請言之
木形之人比於上角似於蒼帝其爲人蒼色小
頭長面大肩背直身小手足好有才勞心少力
多憂勞於事能春夏不能秋冬感而病生足厥
陰佗佗然　大角之人比於左足少陽少陽之
上遺遺然　左角之人比於右足少陽少陽之
下隨隨然（一曰少角）　釱角之人比於右足少陽少
陽之上推推然（一曰右角）　判角之人比於左足少

陽少陽之下栝栝然　火形之人比於上徵似
於赤帝其爲人赤色廣䏚脫面小頭好肩背髀
腹小手足行安地疾心行搖肩背肉滿有氣輕
財少信多慮見事明好顏急心不壽暴死能春
夏不能秋冬秋冬感而病生手少陰核核然
質徵之人比於左手太陽太陽之上肌肌然一曰
質之人一曰大徵　少徵之人比於右手太陽太陽之
下慆慆然　右徵之人比於右手太陽太陽之
上鮫鮫然一曰熊熊然　質判之人比於左手太陽
大陽之下支支頤頤然一曰質徵　土形之人比於

上宮似於上古黃帝其爲人黃色圓面大頭美
肩背大腹美股脛小手足多肉上下相稱行安
地舉足浮安心好利人不喜權勢善附人也能
秋冬不能春夏春夏感而病生足太陰敦敦然
大宮之人比於左足陽明陽明之上婉婉然
加宮之人比於左足陽明陽明之下坎坎然（一曰
衆之人）少宮之人比於右足陽明陽明之上樞
樞然　左宮之人比於右足陽明陽明之下兀
兀然（一曰衆之人一曰陽明之上）　金形之人比於上商似
於白帝其爲人方面白色小頭小肩背小腹小

手足如骨發踵外骨輕身清廉急心靜悍善爲
吏能秋冬不能春夏春夏感而病生手太陰敦
敦然　釱商之人比於左手陽明陽明之上廉
廉然　右商之人比於左手陽明陽明之下脫
脫然　右商之人比於右手陽明陽明之上監
監然　小商之人比於右手陽明陽明之下嚴
嚴然　水形之人比於上羽似於黑帝其爲人
黑色面不平大頭廉頤小肩大腹動手足發行
搖身下尻長背延延然不敬畏善欺紿人戮死
能秋冬不能春夏春夏感而病生足少陰汙汙

然大羽之人比於右足大陽大陽之上頰頰然小羽之人比於左足大陽大陽之下紆紆然衆之爲人比於右足大陽大陽之下潔潔然一曰加之人桎之爲人比於左足大陽大陽之上安安然是故五形之人二十五變者衆之所以相欺者是也黃帝曰得其形不得其色何如岐伯曰形勝色色勝形者至其勝時年加感則病行失則憂矣形色相得者富貴大樂黃帝曰其形色相勝之時年加可知乎岐伯曰凡年忌下上之人大忌常加七歲十六歲二十五歲

三十四歲四十三歲五十二歲六十一歲皆人
之大忌不可不自安也感則病行失則憂矣當
此之時無爲姦事是謂年忌黄帝曰夫子之言
脉之上下血氣之候以知形氣柰何岐伯曰足
陽明之上血氣盛則髯美長血少氣多則髯短
故氣少血多則髯少血氣皆少則無髯兩吻多
畫足陽明之下血氣盛則下毛美長至胷血多
氣少則下毛美短至臍行則善高舉足足指少
肉足善寒血少氣多則肉而善瘃血氣皆少則
無毛有則稀枯悴善痿厥足痺足少陽之上氣

血盛則通髯美長血多氣少則通髯美短血少
氣多則少髯血氣皆少則無鬚感於寒濕則善
痺骨痛爪枯也足少陽之下血氣盛則脛毛美
長外踝肥血多氣少則脛毛美短外踝皮堅而
厚血少氣多則胻毛少外踝皮薄而軟血氣皆
少則無毛外踝瘦無肉足太陽之上血氣盛則
美眉眉有毫毛血多氣少則惡眉面多少理血
少氣多則面多肉血氣和則美色足太陰之下
血氣盛則跟肉滿踵堅氣少血多則瘦跟空血
氣皆少則喜轉筋踵下痛手陽明之上血氣盛

則鬚美血少氣多則髭惡血氣皆少則無髭手陽明之下血氣盛則腋下毛美手魚肉以溫氣血皆少則手瘦以寒手少陽之上血氣盛則眉美以長耳色美血氣皆少則耳焦惡色手少陽之下血氣盛則手捲多肉以溫血氣皆少則寒以瘦氣少血多則瘦以多脈手太陽之上血氣盛則有多鬚面多肉以平血氣皆少則面瘦惡色手太陽之下血氣盛則掌肉充滿血氣皆少則掌瘦以寒黃帝曰二十五人者刺之有約乎岐伯曰美眉者足太陽之脈氣血多惡眉者血

氣少其肥而澤者血氣有餘肥而不澤者氣有
餘血不足瘦而無澤者氣血俱不足審察其形
氣有餘不足而調之可以知逆順矣黃帝曰刺
其諸陰陽柰何岐伯曰按其寸口人迎以調陰
陽切循其經絡之凝濇結而不通者此於身皆
爲痛痺甚則不行故凝濇凝濇者致氣以溫之
血和乃止其結絡者脉結血不和決之乃行故
曰氣有餘於上者導而下之氣不足於上者推
而休之其稽留不至者因而迎之必明於經隧
乃能持之寒與熱爭者導而行之其宛陳血不

結者則而予之必先明知二十五人則血氣之所在左右上下刺約畢也

欽六 慆他刀 鮫交 胻杭 瘃只玉

黃帝素問靈樞集註卷之九

黃帝素問靈樞集註卷之十

○五音五味第六十五

右徵與少徵調右手太陽上

左商與左徵調左手陽明上

少徵與大宮調左手陽明上

右角與大角調右足少陽下

大徵與少徵調左手太陽上

衆羽與少羽調右足太陽下

少商與右商調右手太陽下

桎羽與衆羽調右足太陽下

少宮與大宮調右足陽明下
判角與少角調右足少陽下
釱商與上商調右足陽明下
釱商與上角調左足大陽下
上徵與右徵同穀麥畜羊果杏
手少陰藏心色赤味苦時夏
上羽與大羽同穀大豆畜彘果栗
足少陰藏腎色黑味鹹時冬
上宮與大宮同穀稷畜牛果棗
足大陰藏脾色黃味甘時季夏

上商與右商同穀黍畜雞果桃
手太陰藏肺色白味辛時秋
上角與大角同穀麻畜犬果李
足厥陰藏肝色青味酸時春
大宮與上角同右足陽明上
左角與大角同左足陽明上
少羽與大羽同右足太陽下
左商與右商同左手陽明上
加宮與大宮同左足少陽上
質判與大宮同左手太陽下

判角與大角同左足少陽下
大羽與大角同右足太陽上
大角與大宮同右足少陽上
右徵少徵質徵上徵判徵
右角釱角上角大角判角
右商少商釱商上商左商
少宮上宮大宮加宮左角宮
衆羽桎羽上羽大羽少羽
黃帝曰婦人無鬚者無血氣乎岐伯曰衝脉任
脉皆起於胞中上循背裏爲經絡之海其浮而

外者循腹右上行會於咽喉别而絡唇口血氣盛則充膚熱肉血獨盛則澹滲皮膚生毫毛今婦人之生有餘於氣不足於血以其數脫血也衝任之脉不榮口唇故鬚不生焉黄帝曰士人有傷於陰陰氣絶而不起陰不用然其鬚不去其故何也宦者獨去何也願聞其故岐伯曰宦者去其宗筋傷其衝脉血寫不復皮膚内結唇口不榮故鬚不生黄帝曰其有天宦者未嘗被傷不脫於血然其鬚不生其故何也岐伯曰此天之所不足也其任衝不盛宗筋不成有氣無

血脣口不榮故鬚不生黃帝曰善乎哉聖人之通萬物也若日月之光影音聲鼓響聞其聲而知其形其非夫子孰能明萬物之精是故聖人視其顏色黃赤者多熱氣青白者少熱氣黑色者多血少氣美眉者太陽多血通髯極鬚者少陽多血美鬚者陽明多血此其時然也夫人之常數太陽常多血少氣少陽常多氣少血陽明常多血多氣厥陰常多氣少血少陰常多血少氣太陰常多血少氣此天之常數也

○百病始生第六十六

黃帝問于岐伯曰夫百病之始生也皆生於風
雨寒暑清濕喜怒喜怒不節則傷藏風雨則傷
上清濕則傷下三部之氣所傷異類願聞其會
岐伯曰三部之氣各不同或起於陰或起於陽
請言其方喜怒不節則傷藏藏傷則病起於陰
也清濕襲虛則病起於下風雨襲虛則病起於
上是謂三部至於其淫泆不可勝數黃帝曰余
固不能數故問先師願卒聞其道岐伯曰風雨
寒熱不得虛邪不能獨傷人卒然逢疾風暴雨
而不病者蓋無虛故邪不能獨傷人此必因虛

邪之風與其身形兩虛相得乃客其形兩實相逢衆人肉堅其中於虛邪也因於天時與其身形參以虛實大病乃成氣有定舍因處爲名上下中外分爲三員是故虛邪之中人也始於皮膚皮膚緩則腠理開開則邪從毛髮入入則抵深深則毛髮立毛髮立則淅然故皮膚痛留而不去則傳舍於絡脉在絡之時痛於肌肉其痛之時息大經乃代留而不去傳舍於經在經之時洒淅喜驚留而不去傳舍於輸在輸之時六經不通四肢則肢節痛腰脊乃強留而不去傳

舍於伏衝之脉在伏衝之時體重身痛留而不
去傳舍於腸胃在腸胃之時賁響腹脹多寒則
腸鳴飧泄食不化多熱則溏出麋留而不去傳
舍於腸胃之外募原之間留著於脉稽留而不
去息而成積或著孫脉或著絡脉或著經脉或
著輸脉或著於伏衝之脉或著於膂筋或著於
腸胃之募原上連於緩筋邪氣淫泆不可勝論
黃帝曰願盡聞其所由然岐伯曰其著孫絡之
脉而成積者其積往來上下臂手孫絡之居也
浮而緩不能句積而止之故往來移行腸胃之

間水湊滲注灌濯濯有音有寒則䐜䐜滿雷引故時切痛其著於陽明之經則挾臍而居飽食則益大飢則益小其著於緩筋也似陽明之積飽食則痛飢則安其著於腸胃之募原也痛而外連於緩筋飽食則安飢則痛其著於伏衝之脉者揣之應手而動發手則熱氣下於兩股如湯沃之狀其著於膂筋在腸後者飢則積見飽則積不見按之不得其著於輸之脉者閉塞不通津液不下孔竅乾壅此邪氣之從外入内從上下也黃帝曰積之始生至其已成奈何岐伯

曰積之始生得寒乃生厥乃成積也黄帝曰其成積柰何岐伯曰厥氣生足悗悗生脛寒脛寒則血脉凝濇血脉凝濇則寒氣上入於腸胃入於腸胃則䐜脹䐜脹則腸外之汁沫迫聚不得散日以成積卒然多食飲則腸滿起居不節用力過度則絡脉傷陽絡傷則血外溢血外溢則衄血陰絡傷則血內溢血內溢則後血腸胃之絡傷則血溢於腸外腸外有寒汁沫與血相搏則并合凝聚不得散而積成矣卒然外中於寒若內傷於憂怒則氣上逆氣上逆則六輸不通

溫氣不行凝血蘊裹而不散津液濇滲著而不
去而積皆成矣黃帝曰其生於陰者奈何岐伯
曰憂思傷心重寒傷肺忿怒傷肝醉以入房汗
出當風傷脾用力過度若入房汗出浴則傷腎
此內外三部之所生病者也黃帝曰善治之奈
何岐伯荅曰察其所痛以知其應有餘不足當
補則補當寫則寫毋逆天時是謂至治[redacted]亦

○行鍼第六十七

黃帝問于岐伯曰余聞九鍼於夫子而行之於
百姓百姓之血氣各不同形或神動而氣先鍼

行或氣與針相逢或針以出氣獨行或數刺乃
知或發針而氣逆或數刺病益劇凡此六者各
不同形願聞其方岐伯曰重陽之人其神易動
其氣易往也黃帝曰何謂重陽之人岐伯曰重
陽之人熇熇高高言語善疾舉足善高心肺之
藏氣有餘陽氣滑盛而揚故神動而氣先行黃
帝曰重陽之人而神不先行者何也岐伯曰此
人頗有陰者也黃帝曰何以知其頗有陰也岐
伯曰多陽者多喜多陰者多怒數怒者易解故
曰頗有陰其陰陽之離合難故其神不能先行

也黄帝曰其氣與針相逢奈何岐伯曰陰陽和調而血氣淖澤滑利故針入而氣出疾而相逢也黄帝曰針已出而氣獨行者何氣使然岐伯曰其陰氣多而陽氣少陰氣沉而陽氣浮者内藏故針已出氣乃隨其後故獨行也黄帝曰數刺乃知何氣使然岐伯曰此人之多陰而少陽其氣沉而氣往難故數刺乃知也黄帝曰針入而氣逆者何氣使然岐伯曰其氣逆與其數刺病益甚者非陰陽之氣浮沉之勢也此皆粗之所敗上之所失其形氣無過焉

〇上膈第六十八

黄帝曰氣爲上膈者食飲入而還出余已知之矣蟲爲下膈下膈者食晬時乃出余未得其意願卒聞之岐伯曰喜怒不適食飲不節寒溫不時則寒汁流於腸中流於腸中則虫寒虫寒則積聚守於下管則腸胃充郭衛氣不營邪氣居之人食則虫上食虫上食則下管虛下管虛則邪氣勝之積聚以留留則癰成癰成則下管約其癰在管內者即而痛深其癰在外者則癰外而痛浮癰上皮熱黄帝曰刺之奈何岐伯曰微

按其癰視氣所行先淺刺其傍稍内益深還而
刺之毋過三行察其沉浮以爲深淺已刺必熨
本熱入中日使熱内邪氣益衰大癰乃潰伍以
參禁以除其内恬憺無爲乃能行氣後以鹹苦
化穀乃下矣 [illegible]音會

○憂恚無言第六十九

黄帝問於少師曰人之卒然憂恚而言無音者
何道之塞何氣出行使音不彰願聞其方少師
荅曰咽喉者水穀之道也喉嚨者氣之所以上
下者也會厭者音聲之戸也口脣者音聲之扇

也舌者音聲之機也懸雍垂者音聲之關也頏顙者分氣之所泄也橫骨者神氣所使主發舌者也故人之鼻洞涕出不收者頏顙不開分氣失也是故厭小而疾薄則發氣疾其開闔利其出氣易其厭大而厚則開闔難其氣出遲故重言也人卒然無音者寒氣客于厭則厭不能發發不能下至其開闔不致故無音黃帝曰刺之奈何岐伯曰足之少陰上繫於舌絡於橫骨終於會厭兩寫其血脉濁氣乃辟會厭之脉上絡任脉取之天突其厭乃發也

寒熱第七十

黃帝問于岐伯曰寒熱瘰癧在於頸腋者皆何氣使生岐伯曰此皆鼠瘻寒熱之毒氣也留於脉而不去者也黃帝曰去之奈何岐伯曰鼠瘻之本皆在於藏其末上出於頸腋之間其浮於脉中而未内著於肌肉而外爲膿血者易去也黃帝曰去之奈何岐伯曰請從其本引其末可使衰去而絶其寒熱審按其道以予之徐往徐來以去之其小如麥者一刺知三刺而已黃帝曰决其生死奈何岐伯曰反其目視之其中有

赤脉上下貫瞳子見一脉一歲死見一脉半一歲半死見二脉二歲死見二脉半二歲半死見三脉三歲而死見赤脉不下貫瞳子可治也

邪客第七十一

黄帝問于伯高曰夫邪氣之客人也或令人目不瞑不卧出者何氣使然伯高曰五穀入于胃也其糟粕津液宗氣分爲三隧故宗氣積于胸中出于喉嚨以貫心脉而行呼吸焉營氣者泌其津液注之於脉化以爲血以榮四末内注五藏六府以應刻數焉衛氣者出其悍氣之慓疾

而先行於四末分肉皮膚之間而不休者也晝
日行於陽夜行於陰常從足少陰之分間行於
五藏六府今厥氣客於五藏六府則衛氣獨衛
其外行於陽不得入於陰行於陽則陽氣盛陽
氣盛則陽蹻陷不得入於陰陰虛故目不瞑黃
帝曰善治之奈何伯高曰補其不足瀉其有餘
調其虛實以通其道而去其邪飲以半夏湯一
劑陰陽已通其臥立至黃帝曰善此所謂決瀆
壅塞經絡大通陰陽和得者也願聞其方伯高
曰其湯方以流水千里以外者八升揚之萬遍

取其清五升煮之炊以葦薪火沸置秫米一升
治半夏五合徐炊令竭爲一升半去其滓飲汁
一小盃日三稍益以知爲度故其病新發者覆
杯則卧汗出則已矣久者三飲而已也黄帝問
於伯高曰願聞人之肢節以應天地奈何伯高
荅曰天圓地方人頭圓足方以應之天有日月
人有兩目地有九州人有九竅天有風雨人有
喜怒天有雷電人有音聲天有四時人有四肢
天有五音人有五藏天有六律人有六府天有
冬夏人有寒熱天有十日人有手十指辰有十

二人有足十指莖垂以應之女子不足二節以
抱人形天有陰陽人有夫妻歲有三百六十五
日人有三百六十節地有高山人有肩膝地有
深谷人有腋膕地有十二經水人有十二經脉
地有泉脉人有衛氣地有草蓂人有毫毛天有
晝夜人有臥起天有列星人有牙齒地有小山
人有小節地有山石人有高骨地有林木人有
募筋地有聚邑人有䐃肉歲有十二月人有十
二節地有四時不生草人有無子此人與天地
相應者也黄帝問于岐伯曰余願聞持針之數

內針之理縱舍之意扞皮開腠理奈何脉之屈折出入之處焉至而出焉至而止焉至而徐焉至而疾焉至而入六府之輸於身者余願盡聞少序別離之處離而入陰別而入陽此何道而從行願盡聞其方岐伯曰帝之所問針道畢矣

黃帝曰願卒聞之岐伯曰手太陰之脉出於大指之端內屈循白肉際至本節之後大淵留以澹外屈上於本節下內屈與陰諸絡會於魚際數脉并注其氣滑利伏行壅骨之下外屈出於寸口而行上至於肘內廉入於大筋之下內屈

上行臑陰入腋下內屈走肺此順行逆數之屈折也心主之脉出於中指之端內屈循中指內廉以上留於掌中伏行兩骨之間外屈出兩筋之間骨肉之際其氣滑利上二寸外屈出行兩筋之間上至肘內廉入於小筋之下留兩骨之會上入於胷中內絡於心脉黃帝曰手少陰之脉獨無腧何也岐伯曰少陰心脉也心者五藏六府之大主也精神之所舍也其藏堅固邪弗能容也容之則心傷心傷則神去神去則死矣故諸邪之在於心者皆在於心之包絡包絡者

心主之脉也故獨無腧焉黃帝曰少陰獨無腧
者不病乎岐伯曰其外經病而藏不病故獨取
其經於掌後銳骨之端其餘脉出入屈折其行
之徐疾皆如手少陰心主之脉行也故本腧者
皆因其氣之虛實疾徐以取之是謂因衝而寫
因衰而補如是者邪氣得去眞氣堅固是謂因
天之序黃帝曰持針縱舍奈何岐伯曰必先明
知十二經脉之本末皮膚之寒熱脉之盛衰滑
濇其脉滑而盛者病日進虛而細者久以持大
以濇者爲痛痺陰陽如一者病難治其本末尚

熱者病尚在其熱以衰者其病亦去矣持其尺察其肉之堅脆小大滑濇寒溫燥濕因視目之五色以知五藏而決死生視其血脉察其色以知其寒熱痛痹黃帝曰持針縱舍余未得其意也岐伯曰持針之道欲端以正安以静先知虚實而行疾徐左手執骨右手循之無與肉果寫欲端以正補必閉膚輔針導氣邪得淫泆眞氣得居黃帝曰扞皮開腠理柰何岐伯曰因其分肉左別其膚微内而徐端之適神不散邪氣得去黃帝問於岐伯曰人有八虚各何以候岐伯

荅曰以候五藏黄帝曰候之柰何歧伯曰肺心
有邪其氣留於兩肘肝有邪其氣流于兩腋脾
有邪其氣留于兩髀腎有邪其氣留于兩膕凡
此八虛者皆機關之室眞氣之所過血絡之所
遊邪氣惡血固不得住留住留則傷筋絡骨節
機關不得屈伸故病攣也

泌兵媚切 扜苦旱切 痀音拘

○通天第七十二

黄帝問于少師曰余嘗聞人有陰陽何謂陰人
何謂陽人少師曰天地之間六合之內不離於

五人亦應之非徒一陰一陽而已也而略言耳
曰弗能徧明也黃帝曰願略聞其意有賢人聖
人心能備而行之乎少師曰蓋有太陰之人少
陰之人太陽之人少陽之人陰陽和平之人凡
五人者其態不同其筋骨氣血各不等黃帝曰
其不等者可得聞乎少師曰太陰之人貪而不
仁下齊湛湛好内而惡出心和而不發不務於
時動而後之此太陰之人也　少陰之人小貪
而賊心見人有亡常若有得好傷好害見人有
榮乃反慍怒心疾而無恩此少陰之人也

太陽之人居處于于好言大事無能而虛說志
發於四野舉措不顧是非爲事如常自用事雖
敗而常無悔此太陽之人也　少陽之人諟諦
好自貴有小小官則高自宜好爲外交而不内
附此少陽之人也　陰陽和平之人居處安靜
無爲懼懼無爲欣欣婉然從物或與不爭與時
變化尊則謙謙譚而不治是謂至治古之善用
針艾者視人五態乃治之盛者寫之虛者補之
黃帝曰治人之五態柰何少師曰太陰之人多
陰而無陽其陰血濁其衛氣濇陰陽不和緩筋

而厚皮不之疾寫不能移之　少陰之人多陰
少陽小胃而大腸六府不調其陽明脉小而太
陽脉大必審調之其血易脫其氣易敗也　太
陽之人多陽而少陰必謹調之無脫其陰而寫
其陽陽重脫者易狂陰陽皆脫者暴死不知人
也　少陽之人多陽少陰經小而絡大血在中
而氣外實陰而虛陽獨寫其絡脉則強氣脫而
疾中氣不足病不起也　陰陽和平之人其陰
陽之氣和血脉調謹診其陰陽視其邪正安容
儀審有餘不足盛則寫之虛則補之不盛不虛

以經取之此所以調陰陽別五態之人者也黃帝曰夫五態之人者相與毋故卒然新會未知其行也何以別之少師答曰衆人之屬不如五態之人者故五五二十五人而五態之人不與焉五態之人尤不合於衆者也黃帝曰別五態之人奈何少師曰太陰之人其狀黮黮然黑色念然下意臨臨然長大膕然未僂此太陰之人也　少陰之人其狀清然竊然固以陰賊立而躁嶮行而似伏此少陰之人也　太陽之人其狀軒軒儲儲反身折膕此太陽之人也　少陽

之人其狀立則好仰行則好搖其兩臂兩肘則常出於背此少陽之人也　陰陽和平之人其狀委委然隨隨然顒顒然愉愉然⿰目旋⿰目旋然豆豆然衆人皆曰君子此陰陽和平之人也

諟上紙切　[illegible]直[illegible]切　⿰目旋辭戀切

黄帝素問靈樞集註卷之十

黄帝素問靈樞集註卷之十一

官能第七十三

黄帝問于岐伯曰余聞九針於夫子衆多矣不可勝數余推而論之以爲一紀余司誦之子聽其理非則語余請正其道令可久傳後世無患得其人乃傳非其人勿言岐伯稽首再拜曰請聽聖王之道黄帝曰用針之理必知形氣之所在左右上下陰陽表裏血氣多少行之逆順出入之合謀伐有過知解結知補虛寫實上下氣門明通於四海審其所在寒熱淋露以輸異處

審於調氣明於經隧左右肢絡盡知其會寒與熱爭能合而調之虛與實鄰知決而通之左右不調犯而行之明於逆順乃知可治陰陽不奇故知起時審於本末察其寒熱得邪所在萬刺不殆知官九針刺道畢矣明於五輸徐疾所在屈伸出入皆有條理言陰與陽合於五行五藏六府亦有所藏四時八風盡有陰陽各得其位合於明堂各處色部五藏六府察其所痛左右上下知其寒溫何經所在審皮膚之寒溫滑濇知其所苦膈有上下知其氣所在先得其道稀

而踈之稍深以留故能徐入之大熱在上推而
下之從下上者引而去之視前痛者常先取之
大寒在外留而補之入於中者從合寫之針所
不爲灸之所宜上氣不足推而揚之下氣不足
積而從之陰陽皆虛火自當之厥而寒甚骨廉
陷下寒過於膝下陵三里陰絡所過得之留止
寒入於中推而行之經陷下者火則當之結絡
堅緊火所治之不知所苦兩蹻之下男陰女陽
良工所禁針論畢矣用針之服必有法則上視
天光下司八正以辟奇邪而觀百姓審於虛實

無犯其邪是得天之露遇歲之虛救而不勝反
受其殃故曰必知天忌乃言針意法於往古驗
於來今觀於窈冥通於無窮粗之所不見良工
之所貴莫知其形若神髣髴邪氣之中人也洒
淅動形正邪之中人也微先見於色不知於其
身若在若無若亡若存有形無形莫知其情是
故上工之取氣乃救其萌芽下工守其已成因
敗其形是故工之用針也知氣之所在而守其
門戶明於調氣補寫所在徐疾之意所取之處
寫必用員切而轉之其氣乃行疾而徐出邪氣

乃出伸而迎之遙大其穴氣出乃疾補必用方
外引其皮令當其門左引其樞右推其膚微旋
而徐推之必端以正安以靜堅心無解欲微以
留氣下而疾出之推其皮蓋其外門真氣乃存
用針之要無忘其神雷公問於黃帝曰針論曰
得其人乃傳非其人勿言何以知其可傳黃帝
曰各得其人任之其能故能明其事雷公曰願
聞官能奈何黃帝曰明目者可使視色□耳者
可使聽音捷疾辭語者可使傳論語徐而安靜
手巧而心審諦者可使行針艾理血氣而調諸

逆順察陰陽而兼諸方緩節柔筋而心和調者可使導引行氣疾毒言語輕人者可使唾癰呪病爪苦手毒爲事善傷者可使按積抑痹各得其能方乃可行其名乃彰不得其人其功不成其師無名故曰得其人乃言非其人勿傳此之謂也手毒者可使試按龜置龜於器下而按其上五十日而死矣手甘者復生如故也

出入之合（一本作會）把而行之（一本作犯而行之）窈冥（一本作冥冥）

○論疾診尺第七十四

黃帝問于岐伯曰余欲無視色持脉獨調其尺以言其病從外知内爲之奈何岐伯曰審其尺之緩急小大滑濇肉之堅脆而病形定矣視人之目窠上微癰如新卧起狀其頸脉動時欬按其手足上窅而不起者風水膚脹也尺膚滑其淖澤者風也尺肉弱者解㑊安卧脫肉者寒熱不治尺膚滑而澤脂者風也尺膚濇者風痺也尺膚麤如枯魚之鱗者水泆飲也尺膚熱甚脉盛躁者病溫也其脉盛而滑者病且出也尺膚寒其脉小者泄少氣尺膚炬然先熱後寒者寒

熱也尺膚先寒久大之而熱者亦寒熱也肘所
獨熱者腰以上熱手所獨熱者腰以下熱肘前
獨熱者膺前熱肘後獨熱者肩背熱臂中獨熱
者腰腹熱肘後廉以下三四寸熱者腸中有虫
掌中熱者腹中熱掌中寒者腹中寒魚上白肉
有青血脉者胃中有寒尺炬然熱人迎大者當
奪血尺堅大脉小甚少氣悗有加立死目赤色
者病在心白在肺青在肝黃在脾黑在腎黃色
不可名者病在胷中診目痛赤脉從上下者太
陽病從下上者陽明病從外走内者少陽病診

寒熱赤脉上下至瞳子見一脉一歲死見一脉
半一歲半死見二脉二歲死見二脉半二歲半
死見三脉三歲死診齲齒痛按其陽之來有過
者獨熱在左右熱在右右熱在上上熱在下下
熱診血脉者多赤多熱多青多痛多黑爲久痺
多赤多黑多青皆見者寒熱身痛而色微黃齒
垢黃爪甲上黃黃疸也安卧小便黃赤脉小而
濇者不嗜食人病甚寸口之脉與人迎之脉小
大等及其浮沉等者病難已也女子手少陰脉
動甚者姙子嬰兒病其頭毛皆逆上者必死耳

問青脉起者掣痛大便赤瓣飧泄脉小者手足寒難已飧泄脉小手足溫泄易已四時之變寒暑之勝重陰必陽重陽必陰故陰主寒陽主熱故寒甚則熱熱甚則寒故曰寒生熱熱生寒此陰陽之變也故曰冬傷於寒春生癉熱春傷於風夏生後泄腸澼夏傷於暑秋生痎瘧秋傷於濕冬生咳嗽是謂四時之序也

目窠（科）窅（音杳）炬然（及許切亦作焆然）齲（丘禹切齒蠹）掣（尺列切）痎瘧（上音皆瘦瘧也）

○刺節眞邪第七十五

黃帝問于岐伯曰余聞刺有五節奈何岐伯曰固有五節一曰振埃二曰發矇三曰去爪四曰徹衣五曰解惑黃帝曰夫子言五節余未知其意岐伯曰振埃者刺外去陽病也發矇者刺府輸去府病也去爪者刺關節肢絡也徹衣者盡刺諸陽之奇輸也解惑者盡知調陰陽補寫有餘不足相傾移也黃帝曰刺節言振埃夫子乃言刺外經去陽病余不知其所謂也願卒聞之岐伯曰振埃者陽氣大逆上滿於胷中憤瞋肩息大氣逆上喘喝坐伏病惡埃煙餲不得息請

言振埃尚疾於振埃黄帝曰善取之何如岐伯
曰取之天容黄帝曰其欬上氣窮詘胷痛者取
之柰何岐伯曰取之廉泉黄帝曰取之有數乎
岐伯曰取天容者無過一里取廉泉者血變而
止帝曰善哉黄帝曰刺節言發矇余不得其意
夫發矇者耳無所聞目無所見夫子乃言刺府
輸去府病何輸使然願聞其故岐伯曰妙乎哉
問也此刺之大約針之極也神明之類也口說
書卷猶不能及也請言發矇耳尚疾於發矇也
黄帝曰善願卒聞之岐伯曰刺此者必於日中

刺其聽宮中其眸子聲聞於耳此其輸也黃帝
曰善何謂聲聞於耳岐伯曰刺邪以手堅按其
兩鼻竅而疾偃其聲必應於針也黃帝曰善此
所謂弗見爲之而無目視見而取之神明相得
者也黃帝曰刺節言去爪夫子乃言刺關節肢
絡願卒聞之岐伯曰腰脊者身之大關節也肢
脛者人之管以趨翔也莖垂者身中之機陰精
之候津液之道也故飲食不節喜怒不時津液
內溢乃下留於睪血道不通日大不休俛仰不
便趨翔不能此病滎然有水不上不下鈹石所

取形不可匿常不得蔽故命曰去爪帝曰善黄
帝曰刺節言徹衣夫子乃言盡刺諸陽之奇輸
未有常處也願卒聞之岐伯曰是陽氣有餘而
陰氣不足陰氣不足則內熱陽氣有餘則外熱
內熱相搏熱於懷炭外畏綿帛近不可近身又
不可近席腠理閉塞則汗不出舌焦脣槁腊乾
嗌燥飲食不讓美惡黄帝曰善取之奈何岐伯
曰或之於其天府大杼三痏又刺中膂以去其
熱補足手太陰以去其汗熱去汗稀疾於徹衣
黄帝曰善黄帝曰刺節言解惑夫子乃言盡知

調陰陽補寫有餘不足相傾移也惑何以解之岐伯曰大風在身血脉偏虛虛者不足實者有餘輕重不得傾側宛伏不知東西不知南北乍上乍下乍反乍覆顛倒無常甚於迷惑黃帝曰善取之奈何岐伯曰寫其有餘補其不足陰陽平復用針若此疾於解惑黃帝曰善請藏之靈蘭之室不敢妄出也黃帝曰余聞刺有五邪何謂五邪岐伯曰病有持癰者有容大者有狹小者有熱者有寒者是謂五邪黃帝曰刺五邪奈何岐伯曰凡刺五邪之方不過五章癉熱消滅

腫聚散亡寒痺益溫小者益陽大者必去請道
其方凡刺癰邪無迎隴易俗移性不得膿脆道
更行去其鄉不安處所乃散亡諸陰陽過癰者
取之其輸寫之凡刺大邪日以小泄奪其有餘
乃益虛剽其通針其邪肌肉親視之毋有反其
眞刺諸陽分肉間凡刺小邪日以大補其不足
乃無害視其所在迎之界遠近盡至其不得外
侵而行之乃自費刺分肉間凡刺熱邪越而蒼
出遊不歸乃無病爲開通辟門戶使邪得出病
乃已凡刺寒邪日以溫徐往徐來致其神門戶

已閉氣不分虛實得調其氣存也黃帝曰官針奈何岐伯曰刺癰者用鈹針刺大者用鋒針刺小者用員利針刺熱者用鑱針刺寒者用毫針也請言解論與天地相應與四時相副人參天地故可爲解下有漸洳上生葦蒲此所以知形氣之多少也陰陽者寒暑也熱則滋雨而在上根荄少汁人氣在外皮膚緩腠理開血氣減汁大泄皮淖澤寒則地凍水冰人氣在中皮膚緻腠理閉汗不出血氣強肉堅濇當是之時善行水者不能往冰善穿地者不能鑿凍善用針者

亦不能取四厥血脉凝結堅搏不往來者亦未
可即柔故行水者必待天溫冰釋凍解而水可
行地可穿也人脉猶是也治厥者必先熨調和
其經掌與腋肘與脚項與脊以調之火氣已通
血脉乃行然後視其病脉淖澤者刺而平之堅
緊者破而散之氣下乃止此所謂以解結者也
用針之類在於調氣氣積於胃以通營衛各行
其道宗氣留於海其下者注於氣衝其上者走
於息道故厥在於足宗氣不下脉中之血凝而
留止弗之火調弗能取之用針者必先察其經

絡之實虛切而循之按而彈之視其應動者乃
後取之而下之六經調者謂之不病雖病謂之
自已也一經上實下虛而不通者此必有橫絡
盛加於大經令之不通視而寫之此所謂解結
也上寒下熱先刺其項太陽久留之已刺則熨
項與肩胛令熱下合乃止此所謂推而上之者
也上熱下寒視其虛脉而陷之於經絡者取之
氣下乃止此所謂引而下之者也大熱徧身狂
而妄見妄聞妄言視足陽明及大絡取之虛者
補之血而實者寫之因其偃卧居其頭前以兩

手四指挾按頸動脉久持之卷而切推下至缺盆中而復止如前熱去乃止此所謂推而散之者也黃帝曰有一脉生數十病者或痛或癰或熱或寒或痒或痺或不仁變化無窮其故何也岐伯曰此皆邪氣之所生也黃帝曰余聞氣者有真氣有正氣有邪氣何謂真氣岐伯曰真氣者所受於天與穀氣并而充身也正氣者正風也從一方來非實風又非虛風也邪氣者虛風之賊傷人也其中人也深不能自去正風者其中人也淺合而自去其氣來柔弱不能勝真氣

故自去虛邪之中人也洒淅動形起毫毛而發腠理其入深內搏於骨則爲骨痺搏於筋則爲筋攣搏於脈中則爲血閉不通則爲癰搏於肉與衛氣相搏陽勝者則爲熱陰勝者則爲寒寒則真氣去去則虛虛則寒搏於皮膚之間其氣外發腠理開毫毛搖氣往來行則爲癢留而不去則痺衛氣不行則爲不仁虛邪偏容於身半其入深內居榮衛榮衛稍衰則真氣去邪氣獨留發爲偏枯其邪氣淺者脈偏痛虛邪之入於身也深寒與熱相搏久留而內著寒勝其熱則

骨疼肉枯熱勝其寒則爛肉腐肌為膿內傷骨
內傷骨為骨蝕有所疾前筋筋屈不得伸邪氣
居其間而不反發於筋溜有所結氣歸之衛氣
留之不得反津液久留合而為腸溜久者數歲
乃成以手按之柔已有所結氣歸之津液留之
邪氣中之凝結日以易甚連以聚居為昔瘤以
手按之堅有所結深中骨氣因於骨骨與氣并
日以益大則為骨疽有所結中於肉宗氣歸之
邪留而不去有熱則化而為膿無熱則為肉疽
凡此數氣者其發無常處而有常名也

餉音壹窮詘下音屈腊甲亦切剽其匹妙切澌洳上音替下

音如草根相延引兒

○衛氣行第七十六

黄帝問於岐伯曰願聞衛氣之行出入之合何如伯高曰歲有十二月日有十二辰子午為經卯酉為緯天周二十八宿而一面七星四七二十八星房昴為緯虛張為經是故房至畢為陽昴至心為陰陽主晝陰主夜故衛氣之行一日一夜五十周於身晝日行於陽二十五周夜行於陰二十五周周於五歲是故平旦陰盡陽氣

出於目目張則氣上行於頭循項下足太陽循背下至小指之端其散者別於目銳眥下手太陽下至手小指之間外側其散者別於目銳眥下足少陽注小指次指之間以上循手少陽之分側下至小指之間別者以上至耳前合於頷脉注足陽明以下行至跗上入五指之間其散者從耳下下手陽明入大指之間入掌中其至於足也入足心出内踝下行陰分復合於目故爲一周是故日行一舍人氣行一周與十分身之八日行二舍人氣行二周於身與十分身之

六日行三舍人氣行於身五周與十分身之四日行四舍人氣行於身七周與十分身之二日行五舍人氣行於身九周日行六舍人氣行於身十周與十分身之八日行七舍人氣行於身十二周在身與十分身之六日行十四舍人氣二十五周於身有奇分與十分身之四陽盡於陰陰受氣矣其始入於陰常從足少陰注於腎腎注於心心注於肺肺注于肝肝注於脾脾復注于腎爲周是故夜行一舍人氣行於陰藏一周與十分藏之八亦如陽行之二十五周而復

合於目陰陽一日一夜合有奇分十分身之四與十分藏之二是故人之所以卧起之時有早晏者奇分不盡故也黄帝曰衛氣之在於身也上下往來不以期候氣而刺之奈何伯高曰分有多少日有長短春秋冬夏各有分理然後常以平旦爲紀以夜盡爲始是故一日一夜水下百刻二十五刻者半日之度也常如是毋已日入而止隨日之長短各以爲紀而刺之謹候其時病可與期失時反候者百病不治故曰刺實者刺其來也刺虛者刺其去也此言氣存亡之

時以候虛實而刺之是故謹候氣之所在而刺之是謂逢時在於三陽必候其氣在於陽而刺之病在於三陰必候其氣在陰分而刺之水下一刻人氣在太陽水下二刻人氣在少陽水下三刻人氣在陽明水下四刻人氣在陰分水下五刻人氣在太陽水下六刻人氣在少陽水下七刻人氣在陽明水下八刻人氣在陰分水下九刻人氣在太陽水下十刻人氣在少陽水下十一刻人氣在陽明水下十二刻人氣在陰分水下十三刻人氣在太陰水下十四刻人氣在

少陽水下十五刻人氣在陽明水下十六刻人
氣在陰分水下十七刻人氣在太陽水下十八
刻人氣在少陽水下十九刻人氣在陽明水下
二十刻人氣在陰分水下二十一刻人氣在太
陽水下二十二刻人氣在少陽水下二十三刻
人氣在陽明水下二十四刻人氣在陰分水下
二十五刻人氣在太陽此半月之度也從房至
畢一十四舍水下五十刻日行半度迴行一舍
水下三刻與七分刻之四大要曰常以日之加
於宿上也人氣在太陽是故日行一舍人氣行

三陽行與陰分常如是無已天與地同紀紛紛盼盼終而復始一日一夜水下百刻而盡矣

盼盼 按太素音義云普巴切

○九宮八風第七十七

合八風虛實邪正

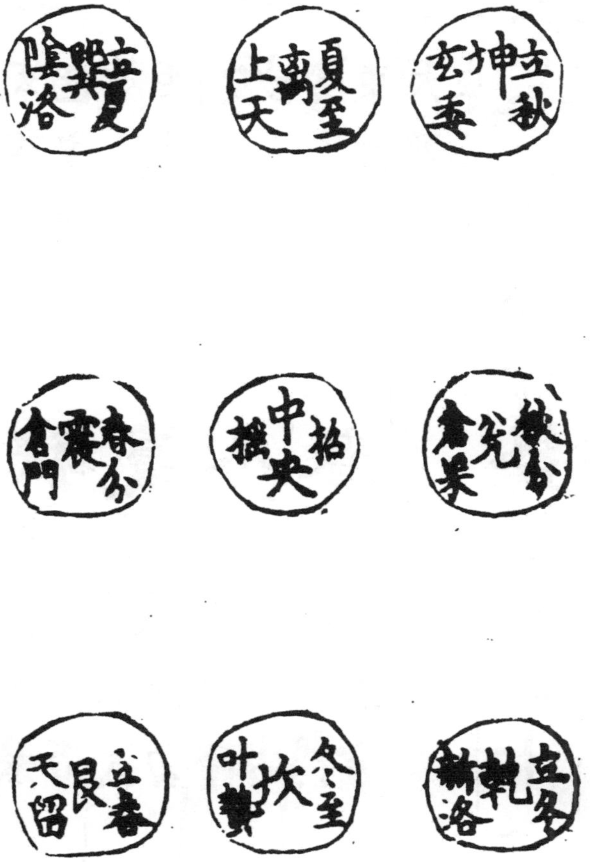

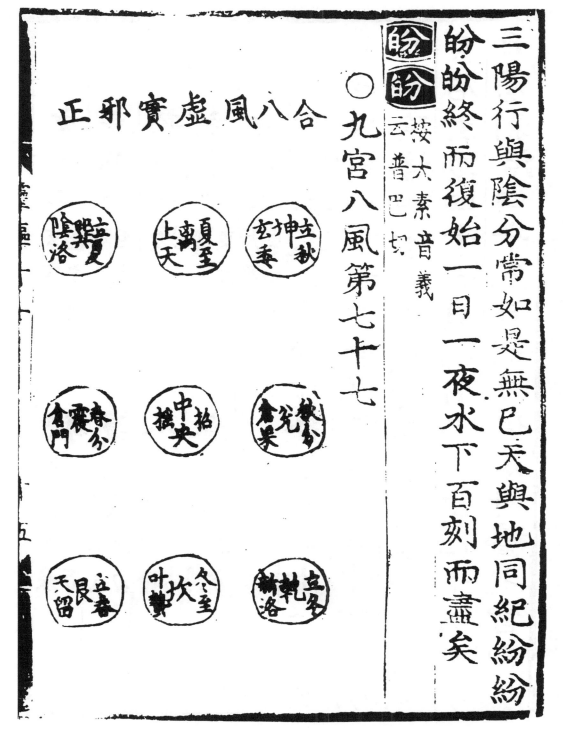

立秋二 玄委 西南方	立冬六 新洛 西北方	招搖中央	立夏四 陰洛 東南方	立春八 天留 東北方
秋分七 倉果 西方	夏至九 上天 南方	冬至一 叶蟄 北方	春分三 倉門 東方	

太一常以冬至之日居叶蟄之宮四十六日明日居天留四十六日明日居倉門四十六日明日居陰洛四十五日明日居天宮四十六日明日居玄委四十六日明日居倉果四十六日明日居新洛四十五日明日復居叶蟄之宮曰

至矣太一日遊以冬至之日居叶蟄之宮數所
在日從一處至九日復反於一常如是無已終
而復始太一移日天必應之以風雨以其日風
雨則吉歲美民安少病矣先之則多雨後之則
多汗太一在冬至之日有變占在君太一在春
分之日有變占在相太一在中宮之日有變占
在吏太一在秋分之日有變占在將太一在夏
至之日有變占在百姓所謂有變者太一居五
宮之日病風折樹木揚沙石各以其所主占貴
賤因視風所從來而占之風從其所居之鄉來

爲實風主生長養萬物從其衝後來爲虛風傷人者也主殺主害者謹候虛風而避之故聖人日避虛邪之道如避矢石然邪弗能害此之謂也是故太一入徙立於中宮乃朝八風以占吉凶也風從南方來名曰大弱風其傷人也内舍於心外在於脈氣主熱風從西南方來名曰謀風其傷人也内舍於脾外在於肌其氣主爲弱風從西方來名曰剛風其傷人也内舍於肺外在於皮膚其氣主爲燥風從西北方來名曰折風其傷人也内舍於小腸外在於手太陽脈脈

絶則溢脉閉則結不通善暴死風從北方來名曰大剛風其傷人也内舍於腎外在於骨與肩背之膂筋其氣主爲寒也風從東北方來名曰凶風其傷人也内舍於大腸外在於兩脇腋骨下及肢節風從東方來名曰嬰兒風其傷人也内舍於肝外在於筋紐其氣主爲身濕風從東南方來名曰弱風其傷人也内舍於胃外在肌肉其氣主體重此八風皆從其虚之鄉來乃能病人三虚相搏則爲暴病卒死兩實一虚病則爲淋露寒熱犯其兩濕之地則爲痿故聖人避

風如避矢石焉其有三虛而偏中於邪風則爲
擊仆偏枯矣

黄帝素問靈樞集註卷之十一

黄帝内經素問靈樞集註卷之十二

○九針論第七十八

黄帝曰余聞九針於夫子衆多博大矣余猶不能寤敢問九針焉生何因而有名岐伯曰九針者天地之大數也始於一而終於九故曰一以法天二以法地三以法人四以法時五以法音六以法律七以法星八以法風九以法野黄帝曰以針應九之數奈何岐伯曰夫聖人之起天地之數也一而九之故以立九野九而九之九九八十一以起黄鍾數焉以針應數也一者天

也天者陽也五藏之應天者肺肺者五藏六府
之蓋也皮者肺之合也人之陽也故爲之治針
必以大其頭而銳其末令無得深入而陽氣出
二者地也人之所以應土者肉也故爲之治針
必筩其身而員其末令無得傷肉分傷則氣得
竭三者人也人之所以成生者血脈也故爲之
治針必大其身而員其末令可以按脈勿陷以
致其氣令邪氣獨出四者時也時者四時八風
之客於經絡之中爲瘤病者也故爲之治針必
筩其身而鋒其末令可以寫熱出血而痼病竭

五者音也音者冬夏之分分於子午陰與陽别
寒與熱爭兩氣相搏合爲癰膿者也故爲之治
針必令其末如劍鋒可以取大膿六者律也律
者調陰陽四時而合十二經脉虛邪客於經絡
而爲暴痺者也故爲之治針必令尖如氂且員
且鋭中身微大以取暴氣七者星也星者人之
七竅邪之所客於經而爲痛痺舍於經絡者也
故爲之治針令尖如蚊虻喙靜以徐往微以久
留正氣因之眞邪俱往出針而養者也八者風
也風者人之股肱八節也八正之虛風八風傷

人內舍於骨解腰脊節腠理之間為深痺也故
為之治針必長其身鋒其末可以取深邪遠痺
九者野也野者人之節解皮膚之間也淫邪流
溢於身如風水之狀而溜不能過於機關大節
者也其為之治針令小大如梃其鋒微員以取
大氣之不能過於關節者也黃帝曰針之長短
有數乎岐伯曰一曰鑱針者取法於巾針去末
寸半卒銳之長一寸六分主熱在頭身也二曰
員針取法於絮針筩其身而卵其鋒長一寸六
分主治分間氣三曰鍉針取法於黍粟之銳長

三寸半主按脉取氣令邪出四曰鋒針取法於
絮針筩其身鋒其末長一寸六分主癰熱出血
五曰鈹針取法於劒鋒廣二分半長四寸主大
癰膿兩熱爭者也六曰員利針取法於氂針微
大其末反小其身令可深內也長一寸六分主
取癰痹者也七曰毫針取法於毫毛長一寸六
分主寒熱痛痹在絡者也八曰長針取法於綦
針長七寸主取深邪遠痹者也九曰大針取法
於鋒針其鋒微員長四寸主取大氣不出關節
者也針形畢矣此九針大小長短法也黄帝曰

願聞身形應九野柰何岐伯曰請言身形之應
九野也左足應立春其日戊寅己丑左脇應春
分其日乙卯左手應立夏其日戊辰己巳膺喉
首頭應夏至其日丙午右手應立秋其日戊申
己未右脇應秋分其日辛酉右足應立冬其日
戊戌己亥腰尻下竅應冬至其日壬子六府膈
下三藏應中州其大禁大禁太一所在之日及
諸戊己凡此九者善候八正所在之處所主左
右上下身體有癰腫者欲治之無以其所直之
日潰治之是謂天忌日也形樂志苦病生於脉

治之以灸刺形苦志樂病生於筋治之以熨引
形樂志樂病生於肉治之以針石形苦志苦病
生於咽喝治之以甘藥形數驚恐筋脉不通病
生於不仁治之以按摩醪藥是謂形五藏氣心
主噫肺主欬肝主語脾主吞腎主欠六府氣膽
爲怒胃爲氣逆噦大腸小腸爲泄膀胱不約爲
遺溺下焦溢爲水五味酸入肝辛入肺苦入心
甘入脾鹹入腎淡入胃是謂五味五幷精氣幷
肝則憂幷心則喜幷肺則悲幷腎則恐幷脾則
畏是謂五精之氣幷於藏也五惡肝惡風心惡

熱肺惡寒腎惡燥脾惡濕此五藏氣所惡也五
液心主汗肝主泣肺主涕腎主唾脾主涎此五
液所出也五勞久視傷血久卧傷氣久坐傷肉
久立傷骨久行傷筋此五久勞所病也五走酸
走筋辛走氣苦走血鹹走骨甘走肉是謂五走
也五裁病在筋無食酸病在氣無食辛病在骨
無食鹹病在血無食苦病在肉無食甘口嗜而
欲食之不可多也必自裁也命曰五裁五發陰
病發於骨陽病發於血以味發於氣陽病發於
冬陰病發於夏五邪邪入於陽則爲狂邪入於

陰則爲血痺邪入于陽轉則爲癲疾邪入於陰轉則爲瘖陽入之於陰病靜陰出之於陽病喜怒五藏心藏神肺藏魄肝藏魂脾藏意腎藏精志也五主心主脉肺主皮肝主筋脾主肌腎主骨陽明多血多氣太陽多血少氣少陽多氣少血太陰多血少氣厥陰多血少氣少陰多氣少血故曰刺陽明出血氣刺太陽出血惡氣刺少陽出氣惡血刺太陰出血惡氣刺厥陰出血惡氣刺少陰出氣惡血也足陽明太陰爲表裏少陽厥陰爲表裏太陽少陰爲表裏是謂足之陰

陽也手陽明太陰爲表裏少陽心主爲表裏太
陽少陰爲表裏是謂手之陰陽也

篇（音同）鍉針（音低）中針（一本作布針）五奏（音奏）五裁（素問作藏）

○歲露論第七十九

黄帝問於岐伯曰經言夏日傷暑秋病瘧瘧之
發以時其故何也岐伯對曰邪客於風府病循
膂而下衛氣一日一夜常大會於風府其明日
日下一節故其日作晏此其先客於脊背也故
每至於風府則腠理開腠理開則邪氣入邪氣

入則病作此所以日作尚晏也衛氣之行風府日下二節二十一日下至尾底二十二日入脊内注於伏衝之脉其行九日出於缺盆之中其氣上行故其病稍益至其内搏於五藏横連募原其道遠其氣深其行遲不能日作故次日乃稸積而作焉黄帝曰衛氣每至於風府腠理乃發發則邪入焉其衛氣日下一節則不當風府柰何岐伯曰風府無常衛氣之所應必開其腠理氣之所舍節則其府也黄帝曰善夫風之與瘧也相與同類而風常在而瘧特以時休何也

岐伯曰風氣留其處瘧氣隨經絡沉以内摶故衛氣應乃作也帝曰善黄帝問於少師曰余聞四時八風之中人也故有寒暑寒則皮膚急而腠理閉暑則皮膚緩而腠理開賊風邪氣因得以入乎將必須八正虚邪乃能傷人乎少師答曰不然賊風邪氣之中人也不得以時然必因其開也其入深其内極病其病人也卒暴因其閉也其入淺以留其病也徐以遲黄帝曰有寒溫和適腠理不開然有卒病者其故何也少師荅曰帝弗知邪入乎雖平居其腠理開閉緩急

其故常有時也黃帝曰可得聞乎少師曰人與天地相參也與日月相應也故月滿則海水西盛人血氣積肌肉充皮膚緻毛髮堅腠理郄煙垢著當是之時雖遇賊風其入淺不深至其月郭空則海水東盛人氣血虛其衛氣去形獨居肌肉減皮膚縱腠理開毛髮殘膲理薄煙垢落當是之時遇賊風則其入深其病人也卒暴黃帝曰其有卒然暴死暴病者何也少師答曰三虛者其死暴疾也得三實者邪不能傷人也黃帝曰願聞三虛少師曰乘年之衰逢月之空失

時之和因爲賊風所傷是謂三虛故論不知三
虛工反爲粗帝曰願聞三實少師曰逢年之盛
遇月之滿得時之和雖有賊風邪氣不能危之
也黃帝曰善乎哉論明乎哉道請藏之金匱命
曰三實然此一夫之論也黃帝曰願聞歲之所
以皆同病者何因而然少師曰此八正之候也
黃帝曰候之柰何少師曰候此者常以冬至之
日太一立於叶蟄之宮其至也天必應之以風
雨者矣風雨從南方來者爲虛風賊傷人者也
其以夜半至也萬民皆卧而弗犯也故其歲民

小病其以晝至者萬民懈惰而皆中於虛風故萬民多病虛邪入客於骨而不發於外至其立春陽氣大發腠理開因立春之日風從西方來萬民又皆中於虛風此兩邪相搏經氣結代者矣故諸逢其風而遇其雨者命曰遇歲露焉因歲之和而少賊風者民少病而少死歲多賊風邪氣寒溫不和則民多病而死矣黃帝曰虛邪之風其所傷貴賤何如候之奈何少師答曰正月朔日太一居天留之宮其日西北風不雨人多死矣正月朔日平旦北風春民多死正月朔

日平旦北風行民病多者十有三也正月朔日日中北風夏民多死正月朔日夕時北風秋民多死終日北風大病死者十有六正月朔日風從南方來命曰旱鄉從西方來命曰白骨將國有殃人多死亡正月朔日風從東方來發屋揚沙石國有大災也正月朔日風從東南方行春有死亡正月朔天利溫不風糴賤民不病天寒而風糴貴民多病此所謂候歲之風䞨傷人者也二月丑不風民多心腹病三月戌不溫民多寒熱四月巳不暑民多癉病十月申不寒民多暴

死諸所謂風者皆發屋折樹木揚沙石起毫毛
發腠理者也

理郄乞逆切

○大惑論第八十

黃帝問於岐伯曰余嘗上於清泠之臺中階而顧匍匐而前則惑余私異之竊內怪之獨瞑獨視安心定氣久而不解獨博獨眩披髮長跪俛而視之後久之不已也卒然自上何氣使然岐伯對曰五藏六府之精氣皆上注於目而為之精精之窠為眼骨之精為瞳子筋之精為黑眼

血之精爲絡其窠氣之精爲白眼肌肉之精爲
約束裹擷筋骨血氣之精而與脉并爲系上屬
於腦後出於項中故邪中於項因逢其身之虚
其入深則隨眼系以入於腦入於腦則腦轉腦
轉則引目系急目系急則目眩以轉矣邪其精
其精所中不相比也則精散精散則視歧視歧
見兩物目者五藏六府之精也營衛魂魄之所
常營也神氣之所生也故神勞則魂魄散志意
亂是故瞳子黑眼法於陰白眼赤脉法於陽也
故陰陽合傳而精明也目者心使也心者神之

舍也故神精亂而不轉卒然見非常處精神魂魄散不相得故曰惑也黃帝曰余疑其然余每之東苑未曾不惑去之則復余唯獨爲東苑勞神乎何其異也岐伯曰不然也心有所喜神有所惡卒然相惑則精氣亂視誤故惑神移乃復是故間者爲迷甚者爲惑黃帝曰人之善忘者何氣使然岐伯曰上氣不足下氣有餘腸胃實而心肺虛虛則營衛留於下久之不以時上故善忘也黃帝曰人之善飢而不嗜食者何氣使然岐伯曰精氣并於脾熱氣留於胃胃熱則消

穀穀消故善飢胃氣逆上則胃脘寒故不嗜食
也黃帝曰病而不得臥者何氣使然歧伯曰衛
氣不得入於陰常留於陽留於陽則陽氣滿陽
氣滿則陽蹻盛不得入於陰則陰氣虛故目不
瞑矣黃帝曰病目而不得視者何氣使然歧伯
曰衛氣留於陰不得行於陽留於陰則陰氣盛
陰氣盛則陰蹻滿不得入於陽則陽氣虛故目
閉也黃帝曰人之多臥者何氣使然歧伯曰此
人腸胃大而皮膚濕而分肉不解焉腸胃大則
衛氣留久皮膚濕則分肉不解其行遲夫衛氣

者晝日常行於陽夜行於陰故陽氣盡則卧陰
氣盡則寤故腸胃大則衛氣行留久皮膚濕分
肉不解則行遲留於陰也久其氣不精則欲瞑
故多卧矣其腸胃小皮膚滑以緩分肉解利衛
氣之留於陽也久故少瞑焉黄帝曰其非常經
也卒然多卧者何氣使然歧伯曰邪氣留於上
膲上膲閉而不通已食若飲湯衛氣留久於陰
而不行故卒然多卧焉黄帝曰善治此諸邪柰
何歧伯曰先其藏府誅其小過後調其氣盛者
寫之虛者補之必先明知其形志之苦樂定乃

取之
褰擷奚結切神分方文切

○癰疽第八十一

黃帝曰余聞腸胃受穀上焦出氣以溫分肉而養骨節通腠理中焦出氣如露上注谿谷而滲孫脉津液和調變化而赤爲血血和則孫脉先滿溢乃注於絡脉皆盈乃注於經脉陰陽已張因息乃行行有經紀周有道理與天合同不得休止切而調之從虛去實寫則不足疾則氣減留則先後後虛去虛補則有餘血氣已調形氣

乃持余已知血氣之平與不平未知癰疽之所
從生成敗之時死生之期有遠近何以度之可
得聞乎岐伯曰經脉留行不止與天同度與地
合紀故天宿失度日月薄蝕地經失紀水道流
溢草萓不成五穀不殖徑路不通民不往來巷
聚邑居則別離異處血氣猶然請言其故夫血
脉營衛周流不休上應星宿下應經數寒邪客
於經絡之中則血泣血泣則不通不通則衛
氣歸之不得復反故癰腫寒氣化爲熱熱勝則
腐肉肉腐則爲膿膿不寫則爛筋筋爛則傷骨

骨傷則髓消不當骨空不得泄寫血枯空虛則筋骨肌肉不相榮經脉敗漏薰於五藏藏傷故死矣黄帝曰願盡聞癰疽之形與忌日名岐伯曰癰發於嗌中名曰猛疽猛疽不治化爲膿膿不寫塞咽半日死其化爲膿者寫則合豕膏冷食三日而已發於頸名曰夭疽其癰大以赤黑不急治則熱氣下入淵腋前傷任脉内薰肝肺薰肝肺十餘日而死矣陽留大發消腦留項名曰腦爍其色不樂項痛而如刺以鍼煩心者死不可治發於肩及臑名曰疵癰其狀赤黑急治

之此令人汗出至足不害五藏癰發四五日逞
焫之發於腋下赤堅者名曰米疽治之以砭石
欲細而長疏砭之塗以豕膏六日已勿裹之其
癰堅而不潰者爲馬刀挾癭急治之發於胸名
曰井疽其狀如大豆三四日起不早治下入腹
不治七日死矣發於膺名曰甘疽色青其狀如
穀實菰蓏常苦寒熱急治之去其寒熱十歲死
死後出膿發於脇名曰敗疵敗疵者女子之病
也灸之其病大癰膿治之其中乃有生肉大如
赤小豆剉䔖翹草根各一升以水一斗六升煮

之竭爲取三升則強飲厚衣坐於釜上令汗出
至足已發於股脛名曰股脛疽其狀不甚變而
癰膿搏骨不急治三十日死矣發於尻名曰銳
疽其狀赤堅大急治之不治三十日死矣發於
股陰名曰赤施不急治六十日死在兩股之內
不治十日而當死發於膝名曰疵癰其狀大癰
色不變寒熱如堅石勿石石之者死須其柔乃
石之者生諸癰疽之發於節而相應者不可治
也發於陽者百日死發於陰者三十日死發於
脛名曰兔齧其狀赤至骨急治之不治害人也

發於內踝名曰走緩其狀癰也色不變數石其輸而止其寒熱不死發於足上下名曰四淫其狀大癰急治之百日死發於足傍名曰厲癰其狀不大初如小指發急治之去其黑者不消輒益不治百日死發於足指名脫癰其狀赤黑死不治不赤黑不死不衰急斬之不則死矣黃帝曰夫子言癰疽何以別之岐伯曰營衛稽留於經脉之中則血泣而不行不行則衛氣從之而不通壅遏而不得行故熱大熱不止熱勝則肉腐肉腐則爲膿然不能陷骨髓不爲焦枯五藏

不傷故命曰癰黃帝曰何謂疽岐伯曰熱氣淳盛下陷肌膚筋髓枯內連五藏血氣竭當其癰下筋骨良肉皆無餘故命曰疽疽者上之皮夭以堅上如牛領之皮癰者其皮上薄以澤此其候也

音
疸魚[illegible]切 血泣[illegible] 谿[illegible] 䵆[illegible] 臑[illegible]切 髃[illegible]
[illegible]中切 可 則 [illegible]切 夭 [illegible]么缶 [illegible]明[illegible]

黃帝内經素問靈樞集註卷之十二